世上是不是有神仙

生命與疾……相

樊馨蔓——著

目次

【序一】道家養生　湯一介　4
【序二】生命的奧祕是無限的　李一　6
1 說來話長……　13
2 重慶。縉雲山　18
3「這就是李道長」　23
4 辟穀　26
5 一根電線　33
6 生病也是緣分　40
7 人有靈魂嗎？　49
8 生命是偶然的嗎？　58
9 身病是心病的外延　65
10 神仙是什麼？　74
11 天人合一　83
12 千年道醫　90
13 疾病到底是怎麼一回事？　98
14 生命是什麼？　103
15 陰陽平衡，身體就健康　107
16「知識」就是力量？　114

17 又是靈魂 120
18 我是誰？ 127
19 科學是眞理嗎？ 134
20 疾病是一種機會 140
21 因緣 148
22 前世・今生・來世 154
23 指向太陽的手指 159
24 治病從治心開始 166
25 無量壽福 173
26 元神出竅 180
27 幸福 184
28 辟穀的副產品 194
29 辟穀的「白老鼠」 205
30 吃死了算 211
31 調節生命的能量 217
32 扶正祛邪 224
33 上藥三品，神與氣精 236
34 最好的排毒方法 243
35 我辟穀給你看！ 250
36 養身還是養生？ 256
37 缺鈣的因果 264
38 眞的要辟穀了！ 271
39 開頂 279

【序二】

道家養生

中國海南出版社孫芳小姐要我爲樊馨蔓女士的《世上是不是有神仙——生命與疾病的眞相》寫點看法，我欣然接受。這不僅因爲我和李一道長是朋友，認識了多年，而且是他的「太極導引術」的受益者。我對醫學，無論是西醫、中醫、道醫都不懂，更無研究。不過，在我寫《早期道教史》時翻閱過《道藏》，知道《道藏》中專門討論和研究「養生」的書至少有幾十種。在這些道書中，「養生」的方法有多種多樣，但都是對「生命」現象的研究，以便使人們強體健身，祛病防災，延年益壽。它研究的不僅是個體小生命，而且是宇宙大生命以及這兩者的聯繫。我也曾想對這些書作一系統的研究，但慧根不夠，未能實行。不過，我有一點認識，「道家養生」是一種實踐的學問，或如李一道長所說「西醫」是「實證科學」，「道醫」是不同於「西醫」的另一種「實證科學」。「實踐出眞知」，例如本書講到的「辟穀」，其對「養生」的效用，能由身體力行而有益於「生命」，這無疑是可以在實證中得到肯定的。

李一道長把道家養生的種種功法和「養生」理論進行了梳理和總結，並給予現代詮釋，自成一家之言，這無論如何是可貴的嘗試。我們都知道，對「生命的奧妙」到目前爲止，還有許多未解之謎，需要我們花大力氣不斷地探索。在這探索的過程中，可能有各種各樣不同的思考路徑，我看這是好事，將會使我們的視野更開闊，考慮更細密，研究更深入，而且最終都要在實踐（即透過「實證科學」）中得到檢驗。

本書中提到的「不眠夜」透過「辟穀」治好了糖尿病就是一例，大概樊馨蔓女士也透過「辟穀」而使「生命」更旺盛了，顯然「故事將眞正地開始了」，看來結果是肯定的。樊馨蔓女士的寫作極富感染力，讀起來很有趣味，等著看她的「待續」，定會更精彩。

北京大學哲學系教授
中國文化書院院長
湯一介
二〇〇九年四月二日

【序二】

生命的奧祕是無限的

一

東方文化說到底都是關於生命的，大體可分爲兩大部分：一是關於生命本質的，儒、道、佛三家爲主體的諸子百家經典，基本上都是在描述生命的本質。二是關於生命現象的，在描述生命現象的文化中，一類體現在民俗方面，另一類則體現在宗教活動，尤其是道教傳承中。

就第一部分來說，無數的古聖先賢開闢了通往宇宙生命本體之路，超越肉身、超越心理、超越思維、超越死生，歸根復命入於不死不生，獨與天地精神相往來之地。他們把明道、明明德的成果，彙集成爲全體生命之明和普度眾生的大乘之船，把慈航普度的本願大海融入眾生心，對於百姓來說，卻早已是「日用而不知」了！

就第二部分生命的現象來說，那是多姿多彩、神異詭怪、無奇不有，一切都是可能的，這也使得民俗文化節和宗教廟會生機盎然，展現著多神文化的神乎其神。那些民間傳頌的各種神異，在老子看是「以道蒞天下其鬼不神」，在孔子看是「子不語怪力亂神」，在釋迦牟尼看來則是「凡所有相皆是虛妄」。那麼關於「神奇卓異、光怪陸離」，到底是有還是沒有呢？也許這正說明既不是有，也不是沒有，而是生命奧祕不可思議的無限性！

生命的奧祕是無限的，而生命體的眼、耳、鼻、舌、身、意又是被限制在一個相對狹窄的範圍內。人類現代科學的方向似乎滿足於不斷地通過科技成果擴充自己的認知範圍，從哈伯望遠鏡，超精細顯微鏡，到宇宙射電測試，從經典物理學到量子物理學，隨著對宇宙奧祕探索的不斷深入，新的奧祕越來越多。諸如宇宙微波輻射背景，黑洞和紅巨星，腦意識和圖靈測試及人類基因組計畫等等，一系列重大科研課題，幾乎集聚了當代人類的全部菁英，緊鑼密鼓、如火如荼地進行著。短短幾十年間，當代科學前所未有地改變著人們的生活。科技似乎在不斷拓展著人們的視野，科技成果也不斷帶給人們巨大便利和充分享受。但是到目前為止，二十世紀生命科學的三大問題：「我是誰」、「我從哪裡來」、「我向哪裡去」，仍然困擾著人們。人們寄希望透過「基因科學」解開奧祕，至今卻沒有給出令人滿意的答案，人們反而對其負面作用越來越擔心了。

科學是向外探求，探求是無止境的。在宏觀世界，出了太陽系還有銀河系，出了銀河系還有更大的星系團。在微觀世界，夸克還不是最小的粒子。任何有限的已知與無限的未知相比，始終是可以被忽略不計的。現代科學演奏的當然是永無止境的知識進行曲。

二

包括儒、道、佛在內的「道」文化，走的都是向內的路。二十一世紀，越來越多的人熱愛生命、關注健康，越來越多的人關注沉睡已久的中國傳統文化，關注「道」、關注「易」。人們已經開始把求索的重點從向外轉而向內。不是探求，而是瞭解，是「損之又損」的蛻變，是「歸根復命」，是戰勝自己的「自強不息」，既不拒絕什麼，也不固守什麼，更沒有爲什麼，只是活生生的與天地萬物一起和諧共用，強調的是如何「與天地合其德，與日月合其明，與四時合其序，與鬼神合其吉凶」。

道教對生命各個層面的多種現象，有著廣泛深入的瞭解。在不斷深入生命本原的歸根復命的過程中，不捨一法，其中也包括保留和繼承古代巫術文化，黃帝祝由科❶，堪輿、預測、符咒，消災祈福、祈晴禱雨、祛病驅邪等諸多法事活動，以及從丹道修煉衍化而來的道醫、道藥等等道術的傳承。上述文化傳承共同構成了中國道教文化的獨有特徵。這些道術文化雖然五花八門，但都圍繞著一個問題展開，那就是對生命的關愛，對眾生的慈悲，就是隨順萬物的自然屬性，自然而然地使生命更精彩，使生物體「病者康、康者健、健者壽、壽者仙」的養生之道。

說到生命的奧祕，說到養生之道，就不能不涉及因緣、因果、精、氣、神、仙、靈、魂、魄、死、生、臨終關懷、修煉等與生命現象有關的名相，這些內容多多少少都帶有一些神祕色彩，容易被誤解爲傳播「迷信」。

道教對於生命的各種現象和解決生命體所存在的各種問題，既不認爲是迷信，也不排除使用被某種知見判定的「迷信」。這裡既有方便法門的因素，也有出於不得已的時候。比如遇到了當代科學、哲學現有成果中還找不到相應的語言來描述的宇宙生命各層次現象；比如遇到了某些還不能用常人所能理解的語言說清楚的事情。

「明道」和「明明德」的過程本身就是消除迷信的過程，是生命不斷走向光明的過程，在老子、孔子、釋迦牟尼、莊子、孟子等等諸多聖人那裡是沒有迷信的。道家的明道，儒家的明明德，佛家的明心見性，都是明，明白了還迷信什麼？迷信只能與對生命的未知結伴而行，有未知就有迷惑，有迷惑就有期待和恐懼，有期待有恐懼，「迷信」就起作用。值得重視的是，對於所謂「迷信」的名相借用和功用展示者，通透地瞭解生命的本質是必須的，只有站在生命的原點，才能眞正地生起慈悲心。只有慈悲心、出發點與特定方法的有效結合，才能既先解決當事人的煩惱和疾苦，先幫人達成心願，再「見月忘指」地逐步引導人們明道和學會自己解決自己的問題。而任何利用所謂的「迷信」手段謀私的做法都會貽患無窮。

三

值得強調的是東方文化傳承的困難性。向大眾描述某種形態與帶領某人去體驗實證某種形態，畢竟是不一樣的。充斥書市的大部分經典解讀都停留在泛泛而論的階段，網路上很多的論壇中也大致反映了這種狀態。知道「理」是容易的，古聖先賢已經把能說的都說盡了，你只要讀懂經書就能瞭解。但如果變成「口頭禪」，對於解決你自己的煩惱痛苦問題只能是「望梅止渴」，沒有太大實際的意義。如果眞的要去證道實修，就要涉及東方文化傳承和接引的「一門深入」等問題。

編注：

❶祝由科，祝由之法，即包括中草藥在內，借符咒禁禳來治療疾病的一種方法。「祝」者咒也，「由」者病的緣由也。最早見於《黃帝內經》，唐時為太醫署四大科之一。

我們說條條大路通羅馬，你可以設計出若干條線路到達羅馬，但如果確定眞的要去羅馬時，卻只能選擇走其中的一條，還必須先明確自己所在的位置。文化傳承也是這樣，當我們描述道文化時，可以同時用很多語言來描述，比如道家、儒家、佛家，甚至天主教、基督教等等，每一家還包括許多不同的支派，也可以由當代科學、哲學相互參同來表達；但是當你眞的想要修煉證得時，卻只能根據自己的因緣和天賦選擇一個適合自己的法門。各門各派的「法」本來是平等的，但對於你來說又是不平等的，所以歷代祖師都主張在證道實修中一門深入，一術通達大道，否則你就會犯「鑿井碎多不及泉而終無水飲」的錯誤。很多準備修行的人往往會被困在這裡而無法深入。

法師們這個這麼說，那個那麼說；一會兒這麼說，一會兒又那麼說，到底哪個才是對的？其實也許都是都對，只是「對大眾說」和「對機說」是不同的。「對機」涉及被接引人的具體情況，由於開示對象獨特的因緣、經歷、悟性、知識等等具體情況不同，所以同一個問題，對這個人這麼說，對那個人也許是截然不同的說法。這也就是說理和實修的本質區別。如果只是「坐而論道」，也不過與閒談、擺龍門陣相類似，海闊天空，要的是個精彩。如果實修，眞實地體驗生命的奧祕，就不那麼隨意了，就是「差之毫釐，繆以千里」了。

這本書涉及許多宗教、民俗文化方面的討論和講學，實際上大都是在小範圍內針對一個個鮮活的生命進行的「對機說」，一旦把這些只能稱作是方便法門的「對機說法」搬進書本，變成了「對大眾說法」，則很容易讓人「固化」和「著相」。比如書中轉述了大量有關靈魂內容的討論，這也是一種不得已。在討論中沒有什麼比靈魂更令大家興奮的了，進而由靈魂討論引發了對道文化的深入瞭解。其實靈魂這類東西，與世間人是說不清楚的。嚴格地說，靈魂不是有、也不是沒有，地獄不是有、也不是沒有，大千世界各種各樣的奇異事物都是不能說有、也不能說沒有。如果只是停留在口頭上瞭解，無論如何也是說不清楚的，除非實際修煉，親自穿越生命的各個層面，才能眞正一睹風采。如果能夠在有生之年透過實修找到自己的靈魂所在，那將是人生一大幸事。否則只能作為聊天的話題之一，那就沒有什麼實際意義了。這樣一些很難以言語道斷的話題彌漫在書中，除了對當時的聽眾個人也許有對機之後「豁然開朗」的感受外，對大眾讀者可能只是起到啓迪思考的作用，無甚法則可作依憑和遵循，這是要特別提到的。

感謝作者敢於以身試「法」的勇氣，她的十五天辟穀經歷，體驗了「脫胎換骨」和「重新做人」的感覺。用現代語言來說，相當於對身心的一次「回零」，一次「重啓動」，或一次「流程再造」。平時很難改掉的積習去掉了，整個人煥然一新，對於一個沒有任何修煉基礎的人來說，效果是令人矚目的。更爲難得的是在感受生命體整合的痛苦和愜意的同時，還第一次以清晰流暢的語言對整個過程做了翔實的記錄並發表出來。

要留意的是，對於沒有修煉基礎的人來說，必須在我們的幫助下才能順利完成辟穀過程，所以有必要說明的是：不得模仿！也就是在沒有老師指導的情況下是不可隨意辟穀的，更不可以按著作者書中描寫的程序自行修煉辟穀，弄不好會對身體造成某種傷害。另一方面，作者書中對道教日常的一些養生方法、理念也做了詳細的記錄和整理，如導引術、樁功、行步功等介紹得都很準確，可以供有緣閱讀此書的人練習時參考。

這本書提供了一個新的開端，作者在對道文化孜孜不倦地深入瞭解，使得我在回答問題時有機會介紹一些實修的思路和理念。雖然看起來有些支離破碎，但還是露出了很多端倪。希望與一切有緣人共參，也希望爲有志實修的人們選擇修煉門徑提供一個初步參考。無量壽福！

李一 稽首

歲在戊子冬月 草於縉雲山紹龍觀經堂

1
說來話長……

給我們辟穀的是李一道長。「我是道醫。」他總是笑著糾正。「你沒有醫生的執照！」我們笑著否定他。

「那神仙要不要有證書呢？誰來發呢？」

李一道長確實是道醫，因為一切都是從救命、治病開始的。

今天是週六。已經有相當一段時間了，我和幾個朋友都約定在週六「閉食」一天。就是這一天將一切的吃食都關閉在體外，只准看，不准吃。

鄧哥好奇地問我，是不是和美國人學的？

我更加好奇：你怎麼會認爲我是和美國人學的呢？

鄧哥從茶几上翻出一本精美的時尙健康雜誌，說是這本書裡面說的，有一個美國的科學家建議人應該一週起碼空腹一天，「他舉了好幾個九十歲以上人的例子，有時候狀態好，他們會連續空腹三天。但這是最長的時間了，空腹三天以上就要有醫生的指導了！」鄧哥的湖北口音在表達一個「眞理」的時候鏗鏘有力。

我說，這是美國人和中國人學的。是幾百年以來，「科學」的發展對於中國傳統文化的解讀。「閉食」，「閉關」，「辟穀」，這是中國古人追求健康長生、延緩衰老、修心養性、養生的一整套修煉方法。說來神奇，而且幸運，這三種方式我都嘗試了。誰不想健康呢？誰不想健康著長壽呢？誰不想長壽著又青春常駐呢？

但是，就像有人想當數學家，可是連加法都會難住我們一樣：我們對自己的身體了解多少呢？不了解自己的身體，怎麼達到健康、長壽，怎麼保持青春的活力，生命力的旺盛呢？

連加法都算錯，怎麼可能當數學家呢？

也只是在四年以前，我第一次被問及這些問題：

「我們的身體是孤立的嗎？」

當時我並沒有聽懂，居然凛然回答：「是啊，我們都是孤零零地來來去去的啊，無論心靈還是身體，總是孤單的啊！」

「那麼古人流傳下來的『天人合一』是什麼意思呢？」

我被這道看似簡單的加減法難住！知道閉嘴了。

「天網恢恢，疏而不漏，又是什麼呢？」

我絕不輕易回答了。

「換一個角度說，人的身體有多少個穴位呢？」

（現在我知道了，很想大聲地說……）

「人體有經絡嗎？經絡是什麼？在什麼地方呢？」……

幾日前，我的一個常常聽我講人體奧妙、「炫耀」我辟穀經歷的朋友發給我幾頁傳眞。這是他第一次虛心地正視我三年以來斷斷續續的「炫耀」，電話裡我說：「可能你說的是對的，但是我只有看到這些充滿科學意境的文字，我才能夠願意相信，你們說的大體是同一回事。」

他傳眞過來的內容是：

1. 人能夠改變世界，也能夠改變自己，這中間有「作用」與「反作用」的關係。其結果就是「因」與「果」的關係……只有你自己可以讓你變成你想要的狀態。

2. 如果你了解自己的潛能，你就會無往而不勝。要學會把握從意識到潛意識的轉變。意識與潛意識之間的關係和神經系統之間的關係有關。交感神經系統主管潛意識，腦脊髓系統主管意識。

交感神經系統的中樞位於胃後部的神經團節，被稱爲「腹腔神經叢」。它是一個管道，透過這個管道，我們的潛意識可以控制身體的各項機能。

3.我們大都知道大腦是主管人意識的器官，負責接收人所有的想法。但是很多人不知道我們的腹腔神經叢是接收大腦的意識，把意識變成爲潛意識或者習慣，再作爲習慣傳遞給外界。因此，腹腔神經叢被比作「身體的控制中心」，因爲它是分配身體能量的中心點，能量經由神經被分配到身體的所有部分，然後又被散發到身體周圍的大氣中。

4.（這是重點）當腹腔神經叢積極工作的時候，會向身體的每一個部分、身邊的每一個人傳遞生命、能量、活力，人的感覺會愉快，精力會充沛，而所有接觸到他的人都會很快體會到這一種愉快舒服的感覺，所以，一個人散發的能量如果非常強烈，那麼這個人往往會被認爲是「有魅力的人」，「有影響力的人」。

5.如果潛意識出現了問題，人的精神就會生病，人的處境也會隨之出現問題，因爲潛意識與外部世界的聯繫被中斷了。

其實在這些傳眞裡面，只有幾個關鍵字、意，是與我對他的「炫耀」、灌輸相干的：能量，人的意識，我與我，我與世界的因果關係——有時可以被解釋爲命運。

至於前面我提到的被問及：什麼是人體的經絡？它在哪裡？起碼我可以先透露一個：人體的經

絡是人體能量的通道。

我對於這些問題的濃厚興趣，引發我對這些問題的思考，讓我從此關注自身，關注生命，關注我們神奇而悠久的中國傳統文化精髓，一切源於四年前的辟穀。在二〇〇五年，我以一個無知的知識份子身分，質疑中國傳統文化中的「辟穀」：人怎麼可以能夠十多天不吃飯？這太不科學了！幸好我還有一點探索、勇進的實驗精神，繼而想：既然能夠不餓死，那我就試試，難道這是眞的？我就像「吵架」一般進行、體驗了長達十五天只喝開水的辟穀。其結果是我脫胎換骨般的轉變，對人的身體、對生命、對宇宙的重新看法和猶如推門般的認識。

「什麼時候帶我認識李一道長？」

那幾頁傳眞的最後一行，我的朋友手寫要求。

給我們辟穀的是李一道長。「我是道醫。」他總是笑著糾正。「你沒有醫生的執照！」我們笑著否定他。

「那神仙要不要有證書呢？誰來發呢？」

李一道長確實是道醫，因爲一切都是從救命、治病開始的。

說來話長……

2
重慶。縉雲山

醫院診斷他不是一般的糖尿病，他腎的問題更大，是腎的問題引發了糖尿病。醫生確實說了如果病情得不到控制的話，他三十多歲的生命將「盛情結束」。

說來話長的話，還得說下去。人生是奇妙的，因爲總會遇到各種各樣奇妙的人；身體是奇妙的，但我們確實還不認識我們的身體，就像我們還不能夠了解我們的宇宙……仰望天空，就像我們細察自己，宏觀和微觀，巨大的和微小的，遙遠的和自己的，他的和我的……終其一生，可能大部分人都掌握了大把其實與自己的身體、生命、關係並不很大的知識，像個握有百萬英鎊的富翁，卻很「貧窮地」遠離自己而去……

生命之路究竟能夠有多遠？我們的一次性身體究竟能夠支持我們多久？我們的心靈從何時開始記憶，又從何時開始遺忘？我們是誰？生命的意義是什麼？或者說生命有沒有意義？一切的一切，所有的所有，只要我們試圖反過頭來懷疑一下，頃刻就像掉進了萬花筒，被旋得頭昏腦脹……但是當我們生病的時候，當身邊的朋友永遠離開我們的時候，痛苦和分離總會逼迫我們去想：生命難道就是這樣的過程嗎？人生一定是這樣的程序嗎？

＊＊＊

「說來話長」說的是在一千多天以前的事情了。SARS之後的二〇〇五年。經歷過漫長的驚懼、恐慌，人們經歷的「心想病成」（SARS期間幾乎身邊所有的人都發燒了，也包括我），使很多人對身體與健康的關注達到自己人生的「空前狀態」。球場、健身房、游泳池，在那時漸入滿額佳境，但是依然有各種各樣不愉快的消息，像作用與反作用力，穿越那些健康鍛鍊的人們，告訴你：某某又怎麼了！

那眞是個沮喪的下午！五月的初夏陽光明媚，接到的電話卻讓我覺得連陽光都暗淡了：「不眠夜」被診斷得了嚴重的糖尿病。據他自己說危在旦夕。

「不眠夜」名如其人，他總是狂熱地工作，狂熱地吃飯，狂熱地K歌，狂熱地打牌，什麼都狂熱，就是好像憎惡睡覺，無論凌晨幾點打電話找他，都能夠聽到他清醒而快樂的聲音。

我們在辦公室裡見面了。上一次工作完成分手也就是在兩個月前，但是此時的他，判若兩人！原先他是結結實實的一個優秀北京青年，如今他依舊是優秀北京青年，但是又黃又瘦，細弱得彷彿一根竹竿，吹口氣都會被吹倒！我驚得目瞪口呆，先前電話裡面以爲是瞎說、開玩笑的話，瞬間凍結在舌頭上。我在心裡反覆咀嚼著那句問話，卡在嗓子裡沒有說出來：醫生說你能夠活多久？因爲他在電話裡就是這麼和我說的。

不眠夜看似無所謂的表情裡面隱藏焦慮。他輕擺著飄搖的身材，說：「很帥吧現在？哥們兒中了彩了，呵呵……」

然後是他一反常態的沉默。沉默地抽菸，沉默地微笑。「樊馨蔓同學，」他關閉了平日狂熱的說話語氣，「平和地」告訴我，醫院診斷他不是一般的糖尿病，他腎的問題更大，是腎的問題引發了糖尿病。醫生確實說了如果病情得不到控制的話，他三十多歲的生命將「盛情結束」。

……

那天情緒糟糕透了。還有其他的人，其他的事。那日就好像是壞消息爆發日。

但是緊接著第二天就爆發了一個好消息。其實應該是「奇怪消息」，這類消息常常會出其不意地出現，在當時難以辨別好壞。

一個從來沒有聽說過的人物出現在了北京。說他很神，用二二〇伏特的電給人檢查身體，通經絡，能夠治疑難雜症。我們從來沒有聽說經絡是什麼，偶爾耳朵裡面有過「經脈」這樣的辭彙，但也不是很清楚那是什麼意思。我迫不及待地將消息透露給了不眠夜，不眠夜可能已經久經這樣的「好消息」，非常江湖地一笑：「是嗎？」

此後過去兩個月。

再見到不眠夜，他更消瘦，也更沉默了。他兩個月前發黃的臉色，透出了沉沉的黑氣，還有我從來沒有見過的一種只能用絕望來形容的消沉。

我們約了兩個月前向我提到「神人」的朋友。他講了很多，如何檢查，如何診斷……他說那人是一個道長。神奇，與眾（傳說）不同。

這位朋友因為比較胖，高血壓、高血脂成為他的擔憂和威脅。我說，「那道長只給你檢查，沒有給你用藥？江湖上不都是推行自行一套的檢查，最後的關鍵是賣藥嗎？」

我說話刻薄。文明點說，我常常「一針見血」。呵呵！

胖子：「他說——你的藥方是你自己。他讓我去他的道觀找他。我打算帶你去。現在看來，你比我還急需了。」

胖子指著不眠夜。

不眠夜黑沉沉地：「別逗了！最好的藥是我自己？」他簡單概括他兩個月來的經歷，就是天天見高人，「幾乎見證了江湖上所有的騙子」。

「哥們兒已經開始打胰島素了。但凡這些高人之中有一個眞正有點本事的，我就不會接受西醫的方法了。」

確實我們都不是西醫的擁護者。都知道，一旦開始打胰島素，身體接受藥物的控制，將永遠無法擺脫。

不眠夜：「這幫江湖術士！說的一套一套的，讓我當場磕頭的心都有。但是，說是說啊，什麼轍沒有。還不如西醫呢，我這胰島素一針下去，血糖就控制住了，起碼還是一點即時效果吧？」

胖子堅持：「可能這個人完全不一樣。我是時間太短，還來不及深入交談。他能用電檢查身體，這我體驗到了。他說的對啊，沒有任何的儀器，沒有一個化驗的數據，不但知道身體的現在，還知道身體的未來，也就是有沒有病變的可能。像他說的，現代醫學做不到這一點。」

我：「但是治療呢？即使診斷是對的，治療就說什麼『最好的藥是你自己』，都沒有聽說過。」

胖子：「你們聽說過辟穀嗎？」

不眠夜搖頭。我也不知道。像不知何時聽說過「經脈」，我聽說過閉關，但是不知道辟穀。

胖子：「他跟我說到這個。自己治療自己的病，這是一個很高的程度，也可能是一門很深奧的學問呢。我們去一次吧，也不在乎多見一個人，你說呢？萬一他不是騙子呢？」

我說：「去哪兒？」

胖子：「重慶。縉雲山。」

3
「這就是李道長」

他與我想像中的道士、道長，簡直有天壤之別。

這樣年輕的年齡能夠告訴我們什麼呢？他怎麼可能了知生命什麼？改變病症？命運？規律？

那日胖子點明「重慶縉雲山」，我們終於在各自的一番忙碌之後，聚集在了重慶機場。

我正好在四川的大山裡面看景，拐個彎兒就到了重慶。胖子忙完他的工作之後專程趕來。不眠夜據他說「又去見了一個江湖大師」，反正「也不在乎多見一個、少見一個了」，他就從那一個江湖大師的地盤趕來。

這是二〇〇五年七月的最後三天。我到達的時候正是中午，不眠夜已經到了。手機裡他懶洋洋的聲音充滿疲憊：「我在出口處等你啊！」

不眠夜的變化「一日不見如隔三秋」，他更加的瘦弱了，更為明顯的是他的沉默。以往「人活著就是為了說話」的這人，此刻彷彿「不說話是為了活著」。他當時幾乎什麼也不能吃。醫生對於糖尿病人的警告是，不能吃魚，不能吃肉，不能吃水果，不能吃甜食，不能吃酸，不能吃辣……麵食也不行，米飯每餐被控制在一點點。重複人們慣常知道的這些，是因為他過後不久，居然什麼都可以吃了——後話。

等到胖子的飛機之後，我們急匆匆出了機場。胖子說道長會來接，我太想知道這個道長是怎麼一個與眾不同了！不眠夜依然無精打采沒有什麼情緒，只有善良的胖子一路自言自語「來了就有救了」！

在出口處諸多人群裡面，遠遠看見一小股「人流」席捲而來。其中一個，大約三十多歲，非常年輕，戴一副無框眼鏡，短髮，中等身材，身著白色中式衣衫。

我 can not believe！（簡直不敢相信）這難道就是神奇的道長？如果換一身牛仔褲T恤衫，他好

3 「這就是李道長」

像更應該出現在大學的校園，或者IT公司的電腦邊。

胖子證實了：「這就是李道長。」

一番過程。然後我們到達了縉雲山，到達了一個傳說中現實的地方。

那是一棟建立在山頂上的白色小樓。很舊。一些穿著白色、黑色中式衣褲的年輕女孩，匆忙而微笑著在小樓走廊裡面一閃而過。她們都是從一扇門裡面出來，又消失在另一扇門裡面。輕輕的，幾乎沒有聲息。樓前有一個小院子，小草和小野花散發著遠離塵囂的清香。沿著院牆，有幾棵大樹。另有一棵枯樹，獨立於院子偏側，可能自有什麼寓意？

面對小白樓的院牆刷成了鵝黃色，牆上畫著我不明白的圖案和一些文字。

樓裡和院子裡面有若有若無清淡的音樂。在院子和樓之間，有一條一公尺多寬的鵝卵石道。這條小道「很尖刻」，因爲上面的鵝卵石都是直立著的，尖銳得像一座座迷你的山峰。一個從院子中一扇不起眼的木門裡面匆匆穿梭而來的長髮女子，看見我們正面對著豎立的鵝卵石路不知所措，笑笑說：「你們脫了鞋襪子上去走走，對身體好啊！」

吃晚飯的時候，道長才終於又出現。他始終在微笑，似乎在他薄薄鏡片後面隱藏著無窮無盡的喜悅。他與我想像中的道士、道長，簡直有天壤之別。

但是這並沒有改變我的疑慮：這樣年輕的年齡能夠告訴我們什麼呢？他本身應該坐在學堂裡，或者在央視這樣的地方經受錘煉……他怎麼可能了知生命什麼？改變病症？命運？規律？這怎麼可能……

4
辟　穀

道長呵呵笑：「你說得很對，那是絕食，我們是辟穀。前者是強硬、粗暴對待身體的手段，而我們是養生修煉的方式。兩碼事。」

到山上的第一頓晚餐，見到一些奇怪的人。

有白天我們在小樓走廊上看見匆匆忙忙這門閃出、那門閃進、穿中式襖褲的盤髮年輕女子；還有幾個同樣很年輕，同樣穿中式衣褲的男子。這幾個年輕人臉上都洋溢著豁朗與陽光，似乎在不斷散發著「快樂」。

和他們一起進入餐廳的還有幾個中年以上的人，非常的消瘦，顯得「有點舊」，像我想像中的「道士」模樣。但是這幾個「道士」卻穿著山下每一個城市的大街小巷都能夠看見的西褲、襯衫。他們簡直瘦得離譜，卻顯得平靜，給我一種說不出來的感覺。

還有一個人。幾乎是佝僂著身體，那緩慢移動、瘦弱的樣子，好像是幾把骨頭很不牢固地交搭在一起，隨時要散架。他的樣子太可怕了，我們所有的人都不約而同地看著他。他拿著一個飯盒，徑直地「移動」到了廚房裡面。

「他怎麼這樣？他是誰啊？」我禁不住問。

「是香港來的一個病人，晚期淋巴癌，來的時候已經骨轉移，不能夠行動。在這裡有幾個月了，現在好多了，能夠自己走動、吃飯，還能夠自己洗衣服。」旁邊人輕聲解釋。

「這樣的病人你們也敢接啊？能夠治好嗎？」不眠夜表情很複雜地問。

「原則上我們不接這樣的病人，因爲我們這裡的目的並不是收救病人。但是人啊，總是在不知不覺中錯過的東西太多了。人要有覺悟，一個有覺悟的人是不會讓事態發展到這樣一步的。能夠來這裡是緣分。救人於危難也是我們不能夠違背的……」道長輕聲回答。

「那邊幾個也是病人嗎？」不眠夜把頭轉向我剛才一直在辨別身分的那幾個瘦得離譜的中年人，「他們也都是絕症病人嗎？」

道長：「他們不是。或者說還沒有到這麼嚴重的地步。我剛才說了，我們這裡不是以救助病人爲目的的，我這裡是養生中心。」

不眠夜：「跑到這麼遠的山頂上來養身？」

道長笑：「可能你以爲是身體的身？是生命的生，生命更需要滋養。養生就是提高生命品質和生命覺悟，而不是你們認爲的療養身體的意思。」

不眠夜：「那這幾個人……」

道長：「那幾個人，他們是在辟穀。」

我終於又聽見這個生冷的辭彙了。我仔細地看那幾個「不可思議的瘦」：

「辟穀是幹嘛？是閉關的意思嗎？」

胖子：「不一樣，辟穀是什麼也不能夠吃了……」

不眠夜：「@@_@@！那不比我還慘嗎？我多少還能夠吃點兒！就只吃這麼點兒——」不眠夜伸出他的小手指，還用大拇指卡掉了大半部分，來表達他吃不飽的悲哀：「我都已經覺得要了我的命了！」

道長呵呵笑起來：「你好可憐！吶，今天你隨便吃，但是不要吃撐了，慢慢地享受你的每一口美味……」

「不行，他……」我不知道該怎麼說，其實我什麼也不想說。胖子在北京的時候不是說道長能夠用通電檢查身體嗎？我想看看他能不能夠檢查出來不眠夜的問題。但是，像不眠夜，如果有人開口說「吃吧」，他基本上會不顧一切，視死如歸。他對「控制」的忍耐已經到極限了。

道長很溫和：「沒有關係，他什麼都可以吃。人是天地的寵兒……」

「那他們又為什麼都不能吃？」我指著身後那幾位，「他們既然不能夠吃，來餐廳幹嘛？」

道長笑：「我先回答哪個問題？」

我：「那就先回答『辟穀』是什麼意思？」

道長：「好，那我就先回答這第三個問題了：辟穀是一種功，簡單地說是透過辟穀來提升生命的品質。辟穀對治療疾病的效果也相當好，那位最瘦的——」

我們回頭看見最瘦的穿襯衫的先生。

道長：「他有很嚴重的糖尿病；他旁邊那個，心臟有大問題。人大多是這樣，不到病重纏身，都以為自己很健康，隨意揮霍使用自己的身體。平時都不認真對待我們這個唯一的身體，一定要等到問題出現了才追悔莫及。」

我察看胖子和不眠夜，他們都是「隨意揮霍使用自己身體」的人，尤其不眠夜，放鬆就是通宵打牌。

不眠夜：「辟穀，什麼也不能吃，多久啊？」

道長：「第一次起碼需要十五天。然後有二十一天，二十八天。長的可以有幾個月，半年。根據不同的需要和狀況。」

不眠夜：「那透過辟穀，像糖尿病那樣的，都能夠治好？」

道長：「辟穀也不是爲了治病，但是能夠達到治病的效果。」

不眠夜：「起碼十五天不吃任何的東西嗎？那不餓死了？渣滓洞集中營革命烈士絕食七天就成烈士了！」

道長呵呵笑：「你說得很對，那是絕食，我們是辟穀。前者是強硬、粗暴對待身體的手段，而我們是養生修煉的方式。兩碼事。」

不眠夜：「水果也不能夠吃嗎？」

道長用了一個非常現代的表情。

（三年前的不眠夜雖然面臨絕境，依然勇猛無謂似牛犢。他一點都不謙虛，咄咄得像個班主任找學生談話——）

不眠夜：「我看電視上做過一個節目，就是揭露人這麼多天不吃任何東西也能夠好好活著，是一個騙局，就是這個什麼——辟穀吧？我想想也是太不符合科學了，人怎麼可能這麼多天胃裡什麼東西也沒有呢？且不說會不會餓死，就是胃也受不了啊！」

道長笑而不答。他招呼大家吃飯。

不眠夜：「我覺得這個確實違背科學道理。那個電視節目後來揭露，這個不吃東西的人好像每天都有一段時間待在不能有攝像機拍攝到的廁所裡面。他什麼都不吃了還天天在廁所裡面幹什麼？所以大家都認爲他在那裡補充營養。」

旁邊一人：「我也看過類似的節目。還說是牙膏可能裝的是營養液、營養膏；也有說喝的水有其他的成分，而不是一般的水……」

道長很認眞地聽著，彷彿在聽一個從來沒有聽到過的奇蹟。不眠夜老師的再次開口，才將道長瞬間拉回到他的現實。

不眠夜：「道長，恕我直言，如果有什麼辟穀，那也是一個美麗傳說，相當於古人說的飛簷走壁。而你說的對於絕症的治療，十五天不吃東西，不出人命就很不錯了……」

道長微笑：「辟穀的根本目的就不是治病。我不知道你說的那個電視報導的是眞是假。辟穀如果沒有道家的修煉，是很危險的。道家辟穀是一個很高級的修煉行爲，需要修煉到了一定的程度，到了我們的功夫需要再提升的關鍵，才是依靠辟穀來修煉、提升我們。」

「那他們辟穀也是經過了長時間的修煉嗎？」我疑問。

道長：「到我這兒來辟穀的，我帶他們。沒有練過功的人若自己辟穀，是會有生命危險的。一般情況下人幾天不吃東西就有危險，首先會腎衰竭，然後胃會出問題。而我們辟穀一般都要十五天，沒有達到十五天那都不是辟穀。」

不眠夜：「你剛才不是說辟穀能夠治糖尿病什麼的嗎？」

道長：「治病只是辟穀達到的一個附加作用……」

不眠夜：「只要辟穀能夠治療絕症，那就絕不是什麼副作用了，對所有有病的人來說就是主要作用。那你對人類的貢獻就不可估量！如果你能夠這麼輕鬆地解決全世界多少科學家都不能夠解決的治療絕症的問題——不要說任何絕症，你只要能夠解決其中隨便哪一個：你怎麼還會在這裡呢？你在這裡幹什麼呢？在這麼一座既不算幽靜——這山門下面就是農家樂，是吧？——又不是偏遠，深不過秦嶺，高不過泰山，險不過華山的地方？這幾乎就是紅塵啊，還不如你就在紅塵呢！」

道長笑：「你說得很好。那你覺得我這樣的人應該在哪裡呢？」

不眠夜：「如果你是修煉，我覺得你應該是在名山大川裡啊，那裡遠離紅塵，當然更加有利於修煉；你如果眞有治癒絕症的本事的話，我覺得我們就沒有辦法這麼輕易地見到你，可能你應該是在美國、瑞士、北京這些科學家高度集中、科學高度發達的地方，為我們痛苦的人類救苦救難啊！」

5
一根電線

不眠夜又神志不清起來：「現代診斷學有很多高科技診斷方法啊，一整套完整的資料分析，而你，只用一根電線？」

縉雲山上的第一頓飯比我想像的要豐盛多了；山上的第一次言語交鋒，更加「豐盛」，比重慶菜還要麻、還要辣。不眠夜這個牛犢，完全忘了自己是幹什麼來的了，像個《焦點訪談》的記者，好像不知道他的性命比《焦點訪談》的重要性要「眼前」多了。

不過我心裡又佩服他這種「直面慘澹人生」的勇氣！依照我想，就算我之前遭遇了2000000000個騙子，也應該盡量寄希望於面前的這個，萬一呢？更何況當時的係數，比萬一可要高多了！而另一方面，不眠夜的「咄咄」與質疑，也是我千里迢迢奉陪而來的原因：我確實不相信胖子在北京與我說的。但是當晚，上山的第一件事，就是我們在北京時與胖子商量好的：必須當天就給我們用電檢查身體，否則……

胖子在北京時就嘲笑我們：「又不是人家求你們的，到底是誰在求誰啊，你們這些人……」那不管。誰求誰不管。用電檢查是怎麼一回事，這要管。先體驗，再隨時明察。

於是我們約定：晚飯後，八點見，先檢查身體。

＊　＊　＊

八點。道長手裡握了一卷電線準時出現了：「我們到樓上的房間去檢查吧。」

我們跟隨上樓。在二樓走廊朝西的頂端，一個同樣白色中式衣衫的盤髮女子爲我們打開房門。這像是一間會談室。一組沙發圈圍在舊舊的白牆下，面對門有兩扇窗戶，窗外大約一尺遠也是一堵鵝黃色的牆，在房間燈光的映照下，看見上面同樣是一些奇特的線條、圖形和密密的我們看不太懂的中文字。

道長選了離電源插座近的位子坐下。

事到臨頭，我們突然都有些緊張起來，那一路的彷彿大義凜然，全然成爲遙遠的事情。儘管事先胖子已經說過大致的過程，我還是感覺到手心「嗖」的一股涼氣躥出來。我看見不眠夜的臉色也開始微微發白。

「不用緊張，都先坐下。誰先來，誰坐這兒，」道長笑指著他身邊的那張沙發，「我就借助這根電線，給你們分別檢查身體。」

我遲疑著不敢先坐！我是眞的怕電，小時候被電過一次。我看著不眠夜，心想：「又不是我要治病，陪你來了也不圖你回報，只要你先檢查……」

道長：「我採用的是道家的方法給你們檢測。我用的這個方法是屬於現代醫學之外的一個體系，不同於你們熟悉的醫院檢查。道家的這種方法，在目前依然塡補了現代診斷學的一個空白。如果用在治療疾病中，可以治療很多的疑難病症。」

不眠夜又神志不清起來：「現代診斷學有很多高科技診斷方法啊，一整套完整的資料分析，而你，只用一根電線？」

道長：「是，工具只有一根電線。診斷的不是電線。」

我們都比較僵硬地站在靠門口的沙發邊，好像隨時都需要逃跑。

道長：「當代的很多東西，與道家文化相比，都是很年輕的。我爲什麼說『塡補了現代診斷學的一個空白』呢？因爲它塡補的是『現代診斷學無法診斷』的空白。現代診斷學有一個非常無奈的問題，就是雖然大部分的病都是能夠治癒的，但是現代醫學的診斷跟不上。如果一個人的病在早期能夠被及時檢查出來的話，這個人完全可以通過現代醫學方法被治癒，問題是許多疾病在器質性病變前檢查不出來。一旦能夠被診斷出來『有病』，診斷出來的時候就已經晚了，屬於事發之後。所以現代診斷學在我們說來，叫做事後諸葛亮。體檢也一樣，體檢能夠基本察覺到一個人當時的基本狀況，但是卻不可能知道這個人未來的狀況。而我用的這個傳統方式的診斷，能夠診斷出既有的疾病——你已經得的病，也能夠診斷出潛伏期的疾病、你未來身體的狀況。這個就是我說的塡補的空白。」

不眠夜：「馬上就能知道？」

道長笑：「不會超過五分鐘。能夠在不超過五分鐘的時間裡把你們當前和潛伏時期的疾病查出來，這一點在現代醫學是辦不到的。」

不眠夜：「道長，人命關天，我可從來沒有觸碰過電，沒有絲毫免疫力……」

我差點狂喊：難道我對二二〇伏特有免疫力……

不眠夜：「……所以你說清楚點，到底怎麼個意思？別說塡補空白什麼的了……」

道長：「當我給你通過電之後，就可以告訴你們兩個內容，第一個是你們現在的身體狀況，就是已經有的病，這一點你現在去體檢，醫院也能夠告訴你；第二，是未來幾年之內——」

不眠夜：「幾年之內？」

道長：「大概在五、六年之內，你們的身體將會出現的情況。因此，我給你們做的檢查，主要是對潛伏期的疾病進行檢查。西醫爲什麼提倡每年做體檢，也是希望能夠早早知道身體病變的前兆。但是到目前，西醫還是很難做到這點。一個重症形成的過程是需要相當時間的，而現在的醫院大多只能在疾病徹底發作的時候才能夠發現。」

我：「就算你能夠查出來，但是能夠治好嗎？」

道長笑：「現在人最普遍害怕的就是癌症了吧？從西醫角度講，早期的癌症都能夠治癒，但是癌症至今還是西醫的一個絕症，因爲這個病他們無法在器質性病變前查到。病人自己也不知道，知道了都是很難治癒的晚期了。病的潛伏期，是人體能量失衡狀態，當代醫學的發展無法診斷，但是中國的道家方法可以。原來的道家診病技術叫『行氣決脈法』，我們修行人用『布氣』的方法幫你們氣行諸脈，既增能量又查病因。但是運用代代相傳的『行氣決脈法』檢查經絡，需要近一個時辰，差不多兩個多小時，而現在我們依靠修煉能夠駕馭二二〇伏特的電，只用五分鐘時間對經絡通不通暢進行測試，就能夠查出來。」

我：「經絡是什麼啊？筋嗎？」（無知者無罪！）

道長笑：「我們這樣談下去的話，整個晚上都會是我拿著電線坐在這裡回答問題的。我先和你們說我檢查的原理。我檢查你們的十二條經絡，通過你們的手指頭。」

胖子已經檢查過了，顯得有些優越感地鬆弛地站在我們身邊。而我和不眠夜兩人，明明心裡不信服，又都像傻子般不約而同伸出自己的雙手，像手指頭上要變戲法了，癡癡地看。

道長：「十指連心哪，順著你們的手指，我就能夠測試到你們的十二經絡。」

他返身將電線的一端插頭插入插座：

「現在，這根電線通電了。」道長用電筆試了一下電線。電筆的小紅燈在我眼裡分外刺眼地閃亮了。

道長：「方法很簡單，給你們診斷的時候，你們和我要各拿一支線。你們一點都不用害怕，更不用擔心，我本人可以抗擊、控制二二〇伏特的電。」

我聽見不眠夜喃喃自語：「這不合常理。這太不科學了……」

道長：「我們都知道電線有正極和負極，就是我們說的地線和火線，單獨拿住一根電線是沒有任何危險的；如果我們一串聯，電就形成了回路，就有危險了。所以平時有人觸電我們去救，不能用我們的身體去接觸觸電的人，那就會串聯形成回路，只能用絕緣體，比如木棍。而我們診斷，卻是要依靠串聯，形成回路電，我把電導到你們的身上，經過串聯的電流來看你們的經絡是否暢通。古語『通則不痛，痛則不通』，就是這個道理。誰先來？」

胖子對不眠夜：「沒事的，不過我檢查前也是特別的害怕……」

不眠夜終於豁出去了：「好吧，我先來。」坐上了那個一直空著的沙發。

道長：「有一些注意事項，首先你們要絕對信任，絕對放鬆，絕對配合。你們不要緊張。我在控制電的時候，是把電壓從零伏特開始逐漸升高的，當你們感覺到有強烈的電流感，電壓升高到你們受不了的時候，你只要說『強』，我就會停下來。你們切不可逃脫，或者扔掉電線；也不能爲了測試我而忍著，這是會出事的，因爲你們不說，我就會把電壓不斷升高。我用這種方法烤熟過肉串。第二，身上所有的金屬都要拿下來，項鍊、皮帶、手錶、手機，還有磁卡，包括銀行卡，我可能會給它們消磁。來，捏住它。」

道長將電線的一端交給臉色發白的不眠夜。不眠夜小心翼翼地接過，彷彿大象要捏住一隻螞蟻。

一切都像是一個遊戲，簡單得難以置信。

道長和不眠夜各拿一根電線，道長用左手捏著，手擱在左腿上；不眠夜用右手捏著，放在腹部。道長嘴裡念念有詞，雙目微閉，右手中指和食指並排豎著，不斷從空中拉回到胸前、再劃到空中……我好像聽見骨頭的「嘎嘎」響聲。

然後，道長讓不眠夜平伸出左手，道長用右手的食指一一觸碰每根手指都在不眠夜的「強」聲中結束接觸。

輪換右手。

完成。

「好了？」我說。

「好了，還不到五分鐘吧？」道長看著我，「輪到你了。」

6
生病也是緣分

道長：「生病當然也是緣分，任何事情都是一種因緣的延續。人們常常習慣以『好事』、『壞事』的方式看待發生在自己身上的事情。其實，所有發生在你身上的事情都是禮物，只是用的包裝不同罷了，沒有什麼好事和壞事，是你的認為和心境不同罷了。」

不眠夜：「道長，那我的這份禮物也太重了吧，這是誰送的？不要都不行？」

我不由自主地向後縮了一下，雙手不停地往牛仔褲上蹭濕漉漉的汗。不眠夜沉默地站在一邊，已經讓出了沙發。他的表情非常複雜，臉色似乎比剛才還要白，但是臉上顯然有一種「輕舟已過萬重山」的輕鬆。

我的那顆多思多慮的心哦……道長給我測試的時候萬一走神了怎麼辦呢？萬一我偏偏是那個萬一怎麼辦呢？與此同時，我忽然清醒地回想起來：我一個月前才做過體檢……

道長將電線交到我的手上，然後和剛才一樣，微微閉目，嘴裡念念有詞。

然後道長要求我捏住電線裸露的一端。

這一瞬間，我感覺好像要與這個世界告別。無數的念頭，在心裡火苗一般的竄動……我捏住了電線上的銅絲。

道長開始運氣發功，然後要求我伸出左手，掌心朝下。道長用他的食指輕輕點觸到我的食指。

「有電的感覺嗎？」

沒有感覺。我搖頭，心裡更加恐懼。

道長：「現在我開始要放電了，你在接受不了的時候記得說『強』。」

突然的我就感覺到了。電像一隻蟲子，正慢慢從指尖爬過來。這隻蟲子越爬越強大，我全部的感覺只剩一根手指頭了……

細而尖銳、轉而逐漸強大的電流正穿越手心，到達手腕了，正一路高歌竄向手臂……

「強！」

我脫口而出。電流瞬間消失。那股讓我害怕卻看不見的東西消退了，剩下的感覺讓我疑惑：它們眞的有過？二二〇伏特爬上過我的手了？我居然沒事？

道長的食指輕微地點觸到了中指指尖上，電流立刻緩慢而堅決地爬升上來……二二〇伏特爬上了我的第二根手指了——中指！

「強！」

「強！」「強！」「強！」「強！」……

瞬間十根手指都「強」過了。道長拿起電筆，點觸到我的前額。電筆上面的指示燈在我雙眼前觸目驚心地亮了。一個強盛的紅光。

道長：「你現在全身都是帶電的，包括你的五臟六腑。」

而我自己絲毫沒有感覺。我不知道爲什麼我沒有感覺，我額頭的電筆卻閃爍著帶電的紅燈。

道長終於收起了電線：

「我一個一個和你們說你們的身體狀況吧。」

不眠夜留了下來。

＊　＊　＊

大約有二十幾分鐘，不眠夜出來了，表情很怪異，像喝錯了藥水，不知是該嚥還是該吐……

不眠夜：「@@$$@@！太神了！你說眞能信他嗎？哥們兒徹底暈了！」

我：「道長全說準了？」

不眠夜用一種相當遺憾的語氣：「對啊！確實比醫院的診斷還要準確，因爲醫院檢查了半天，說我可能更大的問題是腎臟；道長張嘴就說我的糖尿病根本不算病，問題是腎臟。他都沒問我糖尿病的事情，張嘴就說腎……我完了！」

胖子：「道長說你沒救了？」

不眠夜：「不是！哪怕他是中醫、哪怕他望聞問切一番呢！就是一根電線，哥們兒的價值觀徹底被晃動了……」

我：「道長說你的病能夠治好嗎？和醫院醫生說的一樣恐怖嗎？」

不眠夜非常嚴肅地伸出拇指和食指：「他說要看看我的生辰八字。如果我是早上×點以前出生的，這病就麻煩了，意思就是那個路一條了！如果是×點以後出生的，基本上沒有什麼事兒！這太神了，生個病還和生辰八字有關係！」

我：「那你是×點前出生的、還是×點後出生的啊？」

不眠夜：「不知道！哥們兒都不知道自己是什麼時辰出生的！我還得問問我媽……」

他掏出手機：「如果我媽知道了他兒子是這麼著在看病，非急瘋了不可！」

一個白衣女子走過來，說道長請我去。

＊＊＊

以下部分，請允許我「蒙太奇」地講述一下。道長的診斷，牽起我很多很久以前的記憶。

很早以前，大約我只有七歲的時候，發生了一次意外事故，我的心臟受到外力壓迫。事故花費三個多小時才排除，我成了一個紅色的小人，全身皮下出血，心臟因爲外力壓迫加速到每分鐘一百三十六次跳動。

道長說：「我不知道是什麼原因，你的心臟好像受過外力壓迫，還在很久以前，你應該還很小。如果你不記得了，你把你的出生時辰給我，我能夠幫你找出來。現在這個問題已經不大了，但是還有痕跡，你還是要注意一些……」

大約從二十幾歲開始，我有了失眠，時好時壞，伴隨經常性頭疼。

道長：「你的睡眠不好，經常失眠，基本上和你的情緒有關。如果調整好你的情緒，失眠自然會消失；而頭疼需要我們幫助調理，是經絡不通暢造成的；還有你的頸椎，你的頸椎應該也常常疼痛，那裡的問題更大一些……」

一個月前，我有生以來第一次自己要求去醫院做體檢，因爲肚子有說不清楚的不舒服，也不是疼，也不是不疼。檢查的結果是一切都好，所有內臟的指標都正常。

道長：「你最近經常有肚子不舒服的感覺。」

我：「對，我還去醫院做了檢查，但是檢查結果什麼都是好的。」

道長：「這個醫院查不出來。你要相信你的感覺。它還沒有形成病，你的身體很敏感，所以感覺到了不舒服。你要盡快調整一下，否則經絡如果完全堵塞住就成病了。現在還不會有問題，但是三年以後或者五年以後，我就不敢保證了。你知道所有的病都不是瞬間形成的，越不好的病，形成的時間越長，也越不好辦。」

我驚恐地聽著。

道長：「很多人年年都做體檢，但是在病形成的那麼長時間裡面還是沒有能夠被發現。現代醫學還在成長。」

我：「我該怎麼調理呢？」

道長：「我這裡有人幫助你調理，幫助你疏通經絡，這需要有一定的時間。」

我：「需要多長時間呢？我需要準備多少費用？」

「呵呵，」道長笑起來，「我們不是以治療爲目的的。我們結緣，我們有緣分，這才可能是更加重要的。我們不收費。至於需要多長時間，我們去外面談。」

這一談！在今天的回憶看來，是打開了另一扇門的里程碑。

＊＊＊

而在當時……

當時天上的月亮明晃晃的。正是七月大暑天，山上卻是一點暑氣也沒有。微風清涼，小院裡的草地上擺放了小矮几，上面放著一些水果和茶。

空氣清香，星空遼闊。點點繁星遠遠近近，很久沒有看見這樣清晰的夜空了！我只記得小時候，生活在山邊見過這樣的星空。

道長出來了，問不眠夜：「你電話打了嗎？是幾點出生的？」

不眠夜：「我媽正回憶呢，她也記不清了是×點以前還是×點以後了……」

道長低頭想了一下：「我問你一個事情，你小時候，大約在六、七歲的時候，有沒有遇到一次水患？」

不眠夜一臉吃驚地站在那兒。

道長：「你要是不記得，那我就沒有辦法了。」

我看見不眠夜瞬間幾乎瘋狂地點頭：「有啊有啊，我記得，那次太恐怖了，我記得我掉進一個巨大的水坑裡，我至今都怕水不會游泳，就是和那次被淹著了有關。」

道長：「好，你記得就好，那你的病應該不會有致命的問題，你應該是在×點以後出生的；

若你是在×點以前出生，那次水患你就逃不過了……」

不眠夜的電話嘩啦啦唱起來。我們都看著不眠夜，聽他接他媽媽的電話。

不眠夜在夜幕中接完了電話：

「這有點太神了吧，道長，我媽問了我姨，我確實是在×點以後出生的。那這麼說我小時候落水也好，我現在得病也好，都是命裡注定的？一定要發生的？」

道長：「不完全是這樣，但是也可以這麼說。」

不眠夜：「我靠，這太恐怖了吧！」

道長笑：「一切自有安排，這有什麼恐怖的？在我看來，所有的事情都是一種緣分。」

我：「生病也是緣分？」

道長：「生病當然也是緣分，任何事情都是一種因緣的延續。人們常常習慣以『好事』、『壞事』的方式看待發生在自己身上的事情。其實，所有發生在你身上的事情都是禮物，只是用的包裝不同罷了，沒有什麼好事和壞事，是你的認為和心境不同罷了。」

不眠夜：「道長，那我的這份禮物也太重了吧，這是誰送的？不要都不行？」

道長呵呵笑……

不眠夜：「那我沒事了是不是？」

道長：「也不能這麼說，你的情況也不輕，關鍵是你怎麼看。」

不眠夜：「醫院一直讓我住院，我原來打算這個月就住院治療了。」

道長沉吟著：「現代醫學的發展確實非常了不起了，但是，他們還是不能夠眞正了解你的情況。如果你接受住院治療，對你的狀況並不好，很可能走向另一個極端。」

不眠夜：「那我該怎麼辦啊？」

道長笑：「我還是要看看你的檢查報告，看看你是怎麼一回事。」

不眠夜：「如果我的檢查報告還行呢？」

道長：「馬上辟穀。」

不眠夜：「十五天不吃東西？」

道長：「不是，是二十一天。」

7
人有靈魂嗎？

道長拍拍身邊的胖子，拍拍右邊的不眠夜，又拍拍自己：「生命難道就是這一堆肉嗎？現代醫學很多的治療方法是把生命等同於這一堆肉的……」

不眠夜笑：「那是，治病是不管治靈魂的。」

那次上山，原計劃第二天就回北京，因為我們各自都有沒完沒了的事情在等著我們。結果，我們在山上待了三天。那無法停止下來的話題、疑問，環環相扣，一個生一個！

隨便選一個話題。比如說我們談靈魂。我們提問得世俗而直接：

「道長，你認為有靈魂嗎？」

道長：「這可能是一個還沒有被大多數人認識到的事實。不過科學也在努力證實人的靈魂問題。科學是透過那些物理的實驗……」

我：「你的認為呢？」

道長：「我們透過修行就能夠體驗到啊。」

不眠夜：「這樣說是不是有點迷信？」

道長：「修行是東方的實證科學。我們東方的實證方法早就實證了靈。西方人也一直在透過實踐，比方說給靈魂稱重量的方式來尋找靈魂。與我們不同的是，他們只是在客觀地描述這些東西，比如給靈魂稱重量啊，做靈體的造影啊，經由這些方面證實靈的存在，但還沒有形成、達到主動的溝通。證實存在，與溝通還是兩個方面。」

我：「人和靈的溝通，怎麼能夠證明？因為既然只有你知、他知，我們又看不到……」

道長：「你們所信任的科學，對於靈魂從物質意義上的證明應該有了大量的探索成果。作為溝通的方式，那是一個很複雜的過程。我們現在的科學不斷探索靈魂的存在就已經是一個很大的進步了，而存在的靈魂怎麼和我們溝通呢？那是一個實證的過程，是我們東方人的事情。」

不眠夜：「靈魂是什麼？是另一種形式的物質嗎？」

道長：「一定要用現代語言表述的話，勉強地可以說靈魂是資訊。」

不眠夜：「道長，你眞的認爲是有靈魂的？」

道長笑：「這個不是我眞的認爲的事情，這是另一個空間的事實啊。換一種你們認爲比較科學的說法：靈魂是存在於不同空間的一種現象，是我們生活在三維空間的大部分人無法感覺和想像的。」

我：「靈魂怎麼存在呢？怎麼定義靈魂和人體之間的關係呢？」

道長：「你們眞想了解的話，我就多說一點。首先你們認爲生命是什麼？」

道長拍拍身邊的胖子，拍拍右邊的不眠夜，又拍拍自己：

「生命難道就是這一堆肉嗎？現代醫學很多的治療方法是把生命等同於這一堆肉的……」

不眠夜笑：「那是，治病是不管治靈魂的。」

道長：「生命是若干個存在層面的共同體，靈與魂分別存在於生命的不同層面。要想了解靈魂的存在狀態，就必須在人體活著的時候把它們認出來，成爲它們的主人，這就是修行的意義。道家特別強調人身的珍貴，因爲一旦得到人身，就等於擁有了生命全部的各個層面，透過修行逐一了解了每一個層面，修行的過程也就是穿越各個層面的過程。」

我：「那生命是哪些個存在層面的共同體呢？」

道長：「我們大部分人感受到的生命只是單一的一種表象。整個生命過程實則是由一系列的『振盪』，或叫『波動』構成的，或者說我們是『活』在兩極的波動中。我們道家叫做『橐籥』（tuó yuè），意思是像風箱一樣往返於兩極之間。生命的各個層面都有自己的橐籥特徵。一旦『振盪』停止，生命現象即告結束。

「道家對生命的認識，第一個層面是我們熟悉的生理體，或叫生物體，就是這個肉身。但一般人並不真正了解它的存在，只有當出現痛癢時才意識到它的存在。有一句話叫『鞋子合適的時候就忘了腳的存在』，說的就是這個意思。人的肉身，幾乎包含了生物體的全部特徵，既是人和動物的共有，也是脊椎動物的共有，還有人類自己的特有，等等。這個生物體，或叫生理體的振盪，是呼吸，即吸氣和呼氣。這個振盪停止，生物體即會死去，這是大家都能感覺到的。生物能量運動體現在雌、雄之欲的動靜方面，直接特徵是吸氣、呼氣交替著。

「靈魂的第二個層面是心理體，或叫靈妙體，也有的叫感應體。這一層處於宇宙的『是非』場中，其振盪特徵是『愛』與『恨』，或叫『喜歡』與『討厭』，這就是這個層面的『呼吸』。運作方式總是徘徊在接受和拒絕之間。催眠術影響的就是這一層。人大部分的疾病也都是源於這一層的影響，中醫叫七情所傷而致病。

「第三層是魅力體，或叫魂魄體。這一層處於宇宙的魅力場或叫魄力場中，其振盪體現在魄力的來去方面。我們應該都曾經感知過這個層面的存在。比如，我們自己經常一會兒感到比誰都強，一會兒又什麼都不是；一會兒信心十足，一會兒又自信全無。這就是魄力場的振盪造成的，其波動所影響的就是我們的魂魄體。

「第四層是思維體，也叫心智體。這一層處於宇宙的意識場中，其振盪的特徵是思想的出入。你體驗一下就知道，」道長在月光下伸出一根手指頭，「念頭一個挨著一個，來來去去，沒有片刻的停止，你想控制它幾乎是不可能的，你想清靜一會兒哪怕是幾分鐘都很難。思想的『來來去去』就是這個層面生命體的『呼吸』。

「第五個層面是靈性體，或叫生命體，處於宇宙的生死場中，其振盪特徵就是生與死。生命就波動在生與死這兩極之內，這生生死死就是這個層面的『呼吸』。有人說動物不會自殺，是因爲牠未意識到『生』；而人所以會自殺，是因爲人未意識到『死』，以爲可以透過死來了脫困境。這話說得極有道理。你想，一個眞正意義上意識到死或者說了解死是怎麼回事的人，他會死嗎？

「當然還有第六層、第七層，甚至還可以說有第八層。但這都是沒法再說了，只能修行人修到每一層自己去體悟，無法用語言來描述，描述出來也沒有意義。即使是上面說的五個層面，也還是爲了使平常人便於了解的一個方便說法。這些簡單介紹的生命在各個層面的顯化，即便是一個平常人，也應該多多少少都會感覺到一些，只是你對它無能爲力，只能受它的擺佈。而且它們還是分裂的，你很難給它們統一步調。因爲你這個主人不在『當在』的位置上，這些僕人就各行其是了。」

我：「透過修煉呢？」

道長：「道教的修煉，其實就是給你指引一條回家的路，告訴你降服其心的方法。你學會了，恢復了你的主人地位，僕人都老實了，各個層面自動整合了，老子稱之爲聖人。」

不眠夜：「道長，可能你說得很對，我不知道，但是我們說的靈魂，不是你說的這些……」

道長：「靈魂的認知體系是非常大的體系。道教從三方面來討論靈魂。剛才說的第一個層面是我們的道所觀照的這個層面。這是有著大量史書記載的，我們前輩的道長們修煉丹道，他們留下來了很多丹道的圖，我們可以找到它；第二個層面，很多人都有感應，從我們的感應裡可以依稀感覺到靈魂的跡象，比如說我們做夢，預感到第二天要發生什麼事情，結果第二天眞的就發生了。這樣的感應80%的人都有。」

不眠夜：「夢和靈魂有什麼關係？夢是大腦休息調節，屬於生理反應……」

道長：「夢有一些預兆性的東西，都和靈魂有關聯。如果有可能，你去了解一些臨終病人的夢，讓他們告訴你；第三……」（過於學術傾向，省略。）

我：「那道教的修煉是修靈魂？」

道長：「道教的修煉就是和無限的宇宙進行溝通的一個過程。這個溝通的過程就是怎麼去收集資訊、傳遞資訊和達成資訊。這裡面道教的修證方法包括術、印、咒、符，有很多方式來進行修行。所採集的就不只是靈魂的資訊，還有各種各樣宇宙的波和宇宙生存狀態……」

不眠夜向佈滿星星的夜空伸出手，彷彿在抓取什麼。

不眠夜：「我能採集到什麼啊？什麼資訊？」

道長笑：「你讓一個壞了的電視機，怎麼接受電視訊號呢？先要把電視機修好，調好……」

胖子拍拍不眠夜：「他的病治好了，是不是就算修好電視機了？」

道長呵呵笑著搖頭。

不眠夜對胖子：「你以爲你們是好電視機嗎？你們收一個我看看？」

道長：「當我們處於無的時候，我們或深或淺地能夠感受得到，能夠接受到，也能夠採集到。修行得深，當然就接受得多。」

不眠夜：「那大白天見鬼就不算是一句形容詞啦？」

道長：「我們現在存在的世界並不是一個眞實的世界，這點經由科學的論證，已經有越來越多的人這麼認爲了。我們是一個實相的世界，也許還有一個可能更加眞實的世界，比如像波和波群存在的世界。在那樣一個世界裡面，我們的靈魂也罷，以波和波群方式存在的各種其他資訊也罷，能夠撞擊到我們大腦意識深處可以感應到的東西也罷，它們都是以一種無的狀態存在。在我們實相的世界裡，還有著虛擬的一個狀態存在，這個虛擬並不是假的，是有一個虛空世界，而這個世界其中是有象的。波的出現就是一種象。老子說，這個象中是有精的，然後他又說這個精，『其精甚眞，其中有信』，這個精裡面實際上是有一個眞正的眞相，這個眞相傳達了宇宙中的一個資訊。這就是老子所看到的世界，在西方的科學遠沒有誕生的幾千年以前。老子從一個世界出來到另外一個虛空中，他看到了宇宙的眞相，又從這個虛空的眞相中看到了我們爲什麼要出現今天這個狀況。他講『故常無欲以觀其妙，常有欲以觀其徼』，就是說要處於無的狀態，即是虛空的狀態。我們去觀察宇宙中無邊無際的妙有，我們雖然是看不到的，但是在無的狀態中看得到，而處於有的狀態，看到了好像是兩個不同的東西，其實本質上是一個東西。這就像愛因斯坦最後探索到的一個境界，他說實物和場是兩樣存在的東西，能量是被釋放了的物質，而物質是等待被釋放的能量。這樣的一個概念，老子在幾千年前都已經觀察到了。」

我們當眞爲老子幾千年前的先見之明震撼了一下@_@，驕傲激盪了一下@_@，以瞬間的沉默爲證。

我：「那麼靈魂和人體之間的關係呢？」

道長：「在一個特殊的情況下，人體和靈魂是可以聚合的，但又可以以兩種狀態單獨存在。靈魂沒有肉體也完全可以存在。它同樣也分了很多個層次。有一本《鍾呂傳道集》是我們道教修丹書，書中講了我們爲什麼要修道，但是它首先講清楚了人的生死輪迴是怎麼一回事。」

* * *

當夜討論問題二：經絡。

我：「道長，你透過經絡檢查了我們的身體，經絡是什麼呢？」我用手指按壓著我的胳膊，「我摸得出來嗎？」

道長：「從現代醫學的解剖學來看，人死了以後，屍體解剖裡面找不到經絡。屍體解剖中有骨骼，有肌肉，有內臟，有血管，就是沒有經絡。正因爲如此，西方的醫學一直排斥東方的醫學。他們說你們中國人的道醫，中醫，你們的臨床診斷理論，是建立在人體經絡的認識之上的，而這個東西沒有啊，解剖學能夠證明它確實沒有。所以他們的這個質疑是有他們的道理的。但是——」

我突然靈機一動：「屍體解剖也不能夠找到靈魂……」

道長：「是了，關鍵是：什麼是經絡？簡單地說，經絡就是維持我們生命的能量通道。經絡是我們生命能量的通道，這個通道如果出現問題、不夠通暢的話，人體就出現大麻煩了。那些可怕的癌症正是因爲人體經絡不通，淤積成症，垃圾堆積，最後爆發。人一旦死亡，就是沒有能量，怎麼還可能找到能量的通道呢？」

8
生命是偶然的嗎？

道長：「怎麼可能全都是碰巧？這個世界是偶然的嗎？一個人的一生也是偶然的嗎？你一生中的遭遇也是偶然的嗎？我們是突然地來到了這個世界上？任何的偶然，都反映出它的必然。」

那天晚上我們談了好多好多。所有的話題，又被拉長、延綿到了三天、又擴展到至今的四年、還會到永遠……

我們從對於靈魂的談論（主要是道長談，我們胡亂議論），牽扯到東、西方文化的差異。選擇一些。

不眠夜參看著天上的星星：「道長，爲什麼修煉就一定要談論到生和死呢？那是一個自然現象，談論它有什麼意義嗎？」

道長沉吟：「其實我們並不了解生與死。還有，我們修煉的目的就是爲了了脫生死。」

不眠夜：「生就生了，死就死了，我們自己管得了嗎？」

道長：「你說對了一半。但是你的問題是：爲什麼修煉就一定要談論到生和死？我們先談這個：如果說修煉不能超越生死，那我們修煉就沒有了意義。」

不眠夜：「爲了身體的健康啊！」

道長：「如果僅僅是爲了達到健康，延年益壽，這個太容易了，我明天就教你們幾套功法，保證你們能夠健康，健康自然就長壽了，還能夠延緩衰老。道家的駐顏術是非常有名的。你們根本也不需要辟穀。」

不眠夜：「……」（意思辟穀不是可以治療一切病症嗎）

道長：「……」（意思辟穀的根本目的不是治病，治病是副作用）

我難以忍受不眠夜這種循環式的治病話題，當即打斷——

我：「道長，既然道教這麼高妙又可行，還有一套修煉的方法不但可以讓人健康，延年益壽，專心修煉的話還可以超脫凡塵，進入一個更高的生命境界，爲什麼這樣好的東西沒有人人皆知呢？一個好的東西應該是非常容易普及的，像青黴素、電燈、當今的網路，無論什麼都阻止不了有價值的東西的發展和流通。」

道長：「不能這麼表面地看待問題。中國具有的傳統文化，對今天世界的發展做出了重要的鋪墊和貢獻。」

我：「比如？」

道長：「比如你剛才說到的網路發展。網路是因爲有了電腦的出現才產生的，對不對？萊布尼茲是二進位制數學的奠基人，而二進位制是他從中國八卦的易象圖裡面得出的領悟。當年萊布尼茲有朋友是傳教士，在中國傳教了很多年，回到西方的時候帶了很多中國的東西，其中就有易圖，但是遺憾得很，那幫老外根本看不懂《易經》的文字。這不奇怪，就是我們中國人，也不是都能夠看懂《易經》的。他只能看圖像。易圖裡面繪就了太極生兩儀，兩儀生四象，四象生八卦，這是一個不斷的二進位。萊布尼茲的這個傳教士朋友最大的一個成果，就是他爲西方帶回了這個易圖，而最幸運的是萊布尼茲雖然看到了易圖、卻是根本理解不了易圖的注解文字，結果這種不認識就成爲一件非常幸運的事情。如果那個傳教士或者萊布尼茲能夠懂一些古中文，他就會進入文字的迷宮，在裡面不斷地打轉。但是他只能每天看這個易圖，這個圖和十進位制是完全不一樣的，它在不斷地裂變，萊布尼茲就在只見其圖、不解其文字的狀況下，從對圖的理解上走出一條新路，創造出了二進位制數學。二進位制數學說白了，就是我們道家陰和陽兩者之間的關係。二進位制數學也是電腦語言的奠基。所以你們還會認爲當今世界的文明、發展，眞的與中國的古老文化沒有關係嗎？」

不眠夜：「勉強吧……」

道長：「當代的科學都指向了一個源頭，這個源頭就是萊布尼茲。西方自己產生不了萊布尼茲的思想，萊布尼茲的思想來源於中國的思想。《愛因斯坦文集》第一卷中有一段非常重要的話，他是這樣講的：西方科學的發展，是以兩個偉大的成就爲基礎的，那就是希臘哲學家發明的形式邏輯體系（在歐幾里得幾何學中），以及透過系統的實驗求出事物的因果關係（在文藝復興時期）。在我看來，這兩大發現並沒有在中國出現，這沒有什麼奇怪的，但是令人驚奇的是中國人把結果做出來了。愛因斯坦的意思是說，西方現代的科學由於這兩大發現所以導致了今天的輝煌，而中國人同樣做出了這兩大發現所達到的結果。」

不眠夜：「怎麼同樣啊？」

我也想問的。因爲我們確實從來沒有產生過這樣的聯繫，我們習慣直接把文明、進步、科學，與西方聯繫在一起。似乎中國幾千年的過去都沉澱在烏突突、灰濛濛、黑暗暗的迷信、糟粕、長衫長辮之中。（極端地講）

道長：「『道觀一缽水，八萬四千蟲』，這句話你們聽說過嗎？道教在幾千年前就說了，而現代科學經過了這麼多年才知道，一杯水裡面確實有那麼多的微生物生命。兩種文化經歷的是不同的途徑，但結果是一樣的，無非是有了時差。還有剛才說的經絡，幾十年前、甚至上溯幾千年前，西方人不承認人的經絡；現在科學的發展，他們的紅外線技術，還有聲納接收儀終於證明了人體經絡。他們好不容易求證到的這些東西，中國人在幾千年前就做出來、就知道了。水裡是有生命的，八卦圖的二進位制，人體的經絡……諾貝爾物理學獎的獲得者湯川秀樹說得更徹底：幾乎近幾十年來所有現代物理學的發現，都是對中國傳統道家思想的回應。這是他的原話。」

胖子：「中國的東西裡面藏了很多的玄機。」

道長：「是的，這些玄機就叫妙。我們的先人在虛空中看到的種種妙有，也叫玄。對妙有的一層層深入的體驗，就叫『玄之又玄』。西方科學進行的實證科學研究，同樣有玄妙之處。東方文明從『有』入手，一層一層向內深入，穿越各個層面走向中空；西方文明則是從『有』和『假說』入手，走向『無限遠的邊緣』，走向物質的無限細分。這兩種都是夠『玄』的，是兩個不同方向的『玄之又玄』。其實就是『此兩者同出而異名』。這兩個來自東、西方的『玄之又玄』，若再加一個『玄』，預示東、西方文明的交融與合璧，是新時代的『眾妙之門』，從而揭開生命的眞諦，揭開宇宙的眞正實相。我們就是爲了這個時代而生的。」

我：「爲什麼說我們是爲了這個時代而生的？生命不是碰巧而來的嗎？」

道長：「這個世界沒有碰巧的事情，我們更不是碰巧來的。用我們道家的理解，是無數因緣的運動使得我們來到了這個時代。這個時代太偉大了，釋迦牟尼佛沒有遇到這個時代，老子沒有碰到這個時代。在這個時代，我們已經具足了所有的外緣，我們不會是碰巧發現了電腦……」

不眠夜：「也許就是碰巧呢？科學的進步發展碰巧到了這一步，碰巧就出現了電腦……」

道長：「好，那我們就是碰巧發現了電腦，碰巧進入了網路時代，碰巧我們把地球變成了一個地球村，碰巧我們建立了一個全球一體化，碰巧愛因斯坦又發現相對論，碰巧量子力學把我們引入了能量世界，碰巧有了個質能互換定律、波離二象性，以及物質和反物質理論使我們知道，實際上能量和物質就是一體的……若干個這些碰巧在這個時代全都發生了，你們眞的認爲這些都是碰巧嗎？」

我不知道！如果我說不知道就算做是碰巧，行不行？

道長：「怎麼可能全都是碰巧？這個世界是偶然的嗎？一個人的一生也是偶然的嗎？你一生中的遭遇也是偶然的嗎？我們是突然地來到了這個世界上？任何的偶然，都反映出它的必然。」

不眠夜：「你怎麼證明它是必然呢？」

道長：「我們說的任何一個事情出現的結果，都是無量因緣運動的結果。在這個時代，我們是外緣具足，如果說沒有市場經濟和全球一體化的概念，如果沒有物理學、生物學、基因科學、資訊科學的高度發展，就沒辦法進行古今交融、東西合璧。你們關注現代科技發展的進程就知道，從夸克到紅巨星，從生物體到基因，質能轉換，黑洞、反粒子、超弦理論，宇宙微波輻射背景，暗物質、暗能量等等的研究，都如火如荼地不斷獲得新成果。有無的界限、質能的界限、生死的界限一旦被打開，生命的奧祕被人類徹底探知，這就是全人類的『明道』、『明明德』的時代。這個時代不是已經正一步步向我們走來嗎？」

我們相當震驚，道長對於現代科學術語的把握。

道長：「我可能不該這麼早來說這個問題。但是東、西方的文化，在當今一定要結合。人類的發展與進步，僅僅是西方的文化是不行的，因為西方的文化已經進入死胡同了，東方的文化也不會自己走出來，就像你剛才所說的，幾千年了，都還沒有透澈地流通，沒有人人盡知。其實東方的實證科學在幾千年以前已經可以超越了，但是它無法普及。這是一個無法普及的東西。」

我：「如果生命不是偶然的，那就是說有前生和來世。」

道長：「當然啊，因緣在轉世，不能斷滅呀。」

於是話題又進入了轉世……

9

身病是心病的外延

道長呵呵笑了：「所有的身病，都是心病的外延。治病也就是調心。所有人都認為病不是一個好東西，但是病是媒介，是橋樑，有多少緣分是靠它來引導的……」

不眠夜：「道長，你就直接説我……」

「對你來説，你的糖尿病根本就不是什麼事……」

我：「以你現在的修煉，你能夠感知前世嗎？」

道長：「對於前世的感應，是在修煉的過程中必須經歷的。」

不眠夜：「你有過嗎？」

道長：「在修煉的過程中很多經歷是必須要經過的。」

（&&@@&&！我不知道爲什麼不眠夜與道長一說話，他們兩個就總是反覆地重複問與答%%%%）

我：「這種經歷是自己出現的，還是你引導它出現的？」

道長：「修行的過程叫返璞歸眞，叫復歸嬰兒，就是一個不斷去找，回到生命起始狀態中的一個過程。在這個修煉狀態中，大多數人會經過一個回嬰憶忘的過程。」

我驚異：「是嗎？」

道長：「當我們一旦處於一個虛的狀態中，各種各樣的資訊和各種各樣的狀況全部都會撞擊你。但是不能夠刻意地進入到它裡面去，那就不是修行的根本意義了。」

我：「修行的根本意義是什麼？」

道長：「修行的根本意義是要回到宇宙中最本始的狀態，叫復歸於本我。在這個過程中，前世的資訊也好，各種各樣生命的形態也好，都是必須要經歷的一個過程。」

不眠夜：「道長，你究竟是怎麼經歷的呢？」

道長：「一個人在修行的過程中，他可以以資訊態方式存在。當我們進入這種狀態，只要去召喚的話，都能夠緣起。我們三維時空的生命體，都是在光速以內，我們當今現代科學的努力，不都在做接近光速努力嗎？三維以上的世界，它的起步就是超光速的。」

不眠夜深吸一口氣，分不清他是信服，還是嘲諷，還是質疑，還是……

道長：「道長，你說得也太神了！好像你去過三維以上的空間！那兒好玩嗎？」

道長：「一個人在修行的過程中，他可以以訊息狀態方式存在。當我們進入這種狀態，只要去召喚的話，都能夠緣起……」

又來了！

我：「道長，你能夠進入三維以上空間嗎？」

道長：「每一個修行人，包括你，都可以進入三維以上的時空。」

不眠夜直搖手：「我沒有……」

道長：「實際上，你們在做夢的時候已經進入三維以上了。很多人在做夢時不但能夠做到平時根本不可能做的事情，還能夠預測今後將會出現的事情。不突破三維，這怎麼能夠做到呢？」

我：「三維以上的空間，和靈魂體驗是一回事嗎？」

道長：「我說的是一個廣義的狀態。靈魂是訊息的一類，是屬於以波和波群存在的一類訊息，我們可以進入任何一個資訊體、資訊元，包括靈魂在內的任何一個資訊元。」

不眠夜：「也就是說可以修煉到進入每一個靈魂？」

道長：「可以這麼說。那是訊息的一類……」

不眠夜很奇怪地在笑。我理解這是他表示不可思議的一種方式。

我：「是意識很清醒地進入靈魂這類的資訊元呢？還是不自覺之中……」

道長：「修行實證（就是練功的意思）的人必須是意識清醒的。只有在一種狀態中，即在被催眠的狀態下才屬於不知不覺。一個催眠師也可以讓你回到過去，從你的字元碼修改你。人在睡眠中也經常會受到很多啓示，這也是一種方法。元素週期表就是在睡夢中悟出來的，像這種情況就是被動的，無意識的，控制不了的，你只能期待它突然降臨。還有像特異功能，用耳朵聽字，這些能力也是自己無法掌握的，突然之間功能在這方面表現出來了，都不知道這個功能是什麼時候來的，又會在什麼時候消失，也不知怎麼去加強、去保護。而修行最大的不同是，其整個過程是清醒的，因爲練功不是睡覺。修煉的人是在刻意地對待整個過程。」

我：「那在練功的狀態下，假如眞的可以接受到不同的資訊元，怎麼區別其中某個資訊元是自己的前世呢？」

道長：「你會追自己啊，不斷地去觀自己啊，因爲你在修煉的過程中，你的主體一直都在啊，你可以不停地一直內觀嘛，一直要觀到無的過程。但是從有、觀到無的過程就要經過很多的狀況，其中就要經過自己種種的潛在意識。」

胖子：「像我們沒有經歷過修煉的人，確實是很難理解的。」

道長：「但就是這樣的，就是可以實際修行到的。我們說現在眼前的這些東西都是虛幻的，以前你們可能並不會認同這種說法，這明明是桌子，怎麼會是虛幻的？但是現在科學的進步，終於也發現了這個實質，那麼這就不是我們這些修煉人的說法了，也不是不可驗證的了，因爲科學家也這樣解釋了，萬有的世界實際上是無，宇宙也是創生於無。還有像地球圍繞著太陽旋轉，這個看法從我們眼見爲實的角度來看，是難以被理解的，太反常了，因爲我們天天看到的都是太陽從我們的東邊升起，再從西邊落下，我們所在的地球，我們腳下的地，有在動嗎？是一點動靜也沒有，我們絲毫沒有在動，怎麼說是我們圍繞著太陽轉呢？這個結論太反常了！但是現在確實人人都知道了，太陽相對於地球來說幾乎沒有動，是我們的地球天天在動，在圍繞著太陽二十四小時一圈地周而復始打轉，不同的角度又構成了一年四季。而我們看到的日升日落，月升月落，都是一些假象。」

不眠夜：「道長，我們不談理論，對於靈的體驗，對於宇宙資訊的接受，都是你本人的『感悟』。就算是親身的經歷，也沒有普遍性，沒有『地球圍繞太陽旋轉』的科學性。」

道長：「這正是我們傳播中國傳統文化需要做的事情。我們對科學有多少的了解呢？我們對有四千七百多年歷史的中國古老的道文化，又有多少了解呢？大家習慣說『怎麼怎麼不符合科學』，但是道文化所產生的知識結晶——如果我們只能用知識來指代的話，卻已經在四千七百年的歷史長河中被反覆地實踐和論證了。大家自以爲了解和信任的近現代科學，在中國古老文化面前，只是一個僅僅幾百年的小孩。一個幾百歲的小孩站在一個四千七百年的大人面前，不是幼小得像是嬰兒嗎？我們指望一個嬰兒能夠告訴我們什麼呢？」

大家無語。

道長：「只有了解了，才有資格、有理由反對。對於中國傳統文化的認知，有多少人看過、研讀過《道德經》、《南華經》、《鍾呂傳道集》？其實如果能夠看明白這些書，我們從理論到實際、到操作方法都會有很清楚的了解。」

不眠夜：「從靈魂退回到起點，還是我們今生的健康。道家的『養生』是什麼意思呢？修養我們的生命？生命很短暫啊，還不如修養靈魂。你們不是承認有靈魂嗎？那也應該承認靈魂是永恆的吧？」

道長：「不完全是你說的這樣。我們的生命，也不是你說的那麼短暫。生命是有很大意義的，但是我們大部分人體認不到。很多人都是很草率地度過了寶貴的一生，這是一個很大的錯覺和遺憾。」

道長用手沾桌上的茶水，在桌面上寫下了「生」。

道長：「是生命，而不是『身』。就像我剛才問你，你們對科學、對中國的傳統文化有多少了解一樣，你們對什麼是生命、什麼是自然法則，又有多少的了解？」

不眠夜：「道家重視靈魂，還是重視生命？」

道長：「都重視。首先，道家是非常重視生命的。有句話說，『佛教修來世，道教修今生。』在佛教，認定『四大皆空』，我們的身體只是個臭皮囊；而道文化認爲，我們身、心、靈，精、氣、神，都是同樣重要的。」

不眠夜：「道長，也許你說得很對，但是這些理論的討論，說實話，對我目前的狀態來說還是非常遙遠。什麼宇宙啊，生命的透澈啊，這好像是哲學家的事情，我們平民百姓確實只關心我們眼前的事，比如說活得好不好啊，是不是賺到錢了啊，是不是健康啊，生了病怎麼辦啊……健康，能夠獲得快樂，有夠用的錢，這些對我們來說是實際生命的意義。」

道長：「生命的意義是這樣嗎？那為什麼一些很有錢、顯得身體不錯的『成功者』，彷彿擁有了人生的一切，也會瘋狂、會自殺呢？」

寂靜……

道長：「其實我們說的是一回事，養生就是解決這些問題，它並不高深，很貼近我們，都是生命、生活的基本問題。很簡單，比如我們能夠做到每天按時在午夜十一點回家睡覺，每天不心煩，不為七情六欲動心，不為名、利掙扎奮鬥，而是隨遇而安，隨緣去做，你怎麼會得病，怎麼會不快樂呢？」

不眠夜：「道長，我是一個俗人啊，俗人怎麼可能不為七情六欲、不為名利動心呢？動心是一定的！現在我有一個很具體的問題：你認為我的病能治好嗎？會不會像西醫那幫子俗人所說的，最後腎衰竭，哥們兒玩完了？我作為一個比他們那幫俗人還要世俗的俗人，我確實很關心我的小命。你說的那些生命什麼的，對我來講還是太深奧了，我只是關心『活下去』這樣簡單的問題。道長，你能夠直接一點回答我嗎？」

不眠夜說話的語氣又回到了他從前的樣子。那股陰沉的勁兒消失了……

道長呵呵笑了：「所有的身病，都是心病的外延。治病也就是調心。所有人都認為病不是一個好東西，但是病是媒介，是橋樑，有多少緣分是靠它來引導的，很多人生了一場病之後就判若兩人，是因爲他對生命有了新的認識和領會。」

不眠夜：「道長，你就直接說我……」

「對你來說，你的糖尿病根本就不是什麼事……」

不眠夜立刻喜出望外：「那西醫算不算是誤診？事實上，我經過這段時間雲遊四方，其實已經好了？」

道長笑：「按照西醫的判斷，你是症狀很嚴重的糖尿病，這個一點都沒有錯。但是你更加嚴重的不是糖尿病，讓你崩潰的也不是糖尿病。糖尿病對我們來說都不算什麼大病，要治好是非常簡單的。糖尿病只是你身體變化了的一個現象，作爲現象都是很好處理的。問題是這個現象意味著什麼。」

不眠夜：「意味著什麼？我還有更加嚴重的問題嗎？」不眠夜的表情凝重又緊張。

道長：「這正是我要告訴你的。你們三個人的狀況，你的最糟糕，因爲你的血已經變酸了。」

「我的血變酸了？這是什麼意思，道長？」

「因爲你長期的生活無規律，晚上不睡覺，白天也不睡覺，加上各種各樣的壓力，什麼東西都吃，酸的、辣的、鹹的、甜的，沒有一點節制，使你的身體就像堆滿了貨物又從來不清理的倉庫，開始要腐爛了。糖尿病只是身體在巨變前的一個症狀。如果你的身體清理乾淨了，糖尿病自然也就好了。」

不眠夜：「我確實是不怎麼睡覺，我是個工作狂，那些朋友還老拉我打牌。你說血變酸就是要腐爛了？我要腐爛了？」

道長：「這就是我剛才透過經絡檢查，診斷你未來幾年有可能的身體病變。血酸是什麼意思呢？就是你的血液性質已經改變，裡面已經具備生長癌症這類疾病的一切條件，只等它爆發了。隨時隨地，像決口一樣，有一個缺口就會爆發。你們聽說過有人哪裡磕了一下，卻變成骨癌這樣的事情嗎？」

「有，有，聽說過……」胖子和不眠夜都說。

道長：「像某一個外因突然導致的病變，其實都是長期積累的因素。爲什麼幼兒很少得癌症、而成年人總是容易得癌症呢？原因很簡單，幼兒的血液是新鮮的，像乾淨的冰箱，不容易出現腐爛和異味；但是成年人就不一樣了，生活沒有規律，休息不充分，生存的壓力……」

不眠夜就像掉進了一個陷阱：「我的下一步就是身體會癌變？」

道長：「可以這麼說。這才是你眞正要面臨的問題。」

10

神仙是什麼？

道長：「與跳蚤相比，你們就知道的更多了，你們會承認跳蚤是神仙嗎？」

不眠夜：「在跳蚤眼裡，我們是神仙！」

那夜，道長首次給我們做了將近五個小時的「思想體操」（我的四川朋友維這樣形容），但是我們卻不疲憊。關於人生的意義，再補充一段道長的話：

道長：「……人們常常會以世俗的成功，來如此這般地對照、看待自己的生活和生命，比如說事業的成功、金錢的收益、官場的亨通等等。但是如此成功的人，有多少能夠感受到幸福？這樣的成功有沒有帶來完全的幸福？還是一樣的苦惱，一樣的迷茫，甚至更加苦惱，更加迷茫。而另外沒有到達這種成功標誌的人，應該講大部分人，會感覺更加苦惱和不開心，因爲他們以爲他們的人生很不得意、很失落。生命的意義眞的是如此嗎？

「其實我們都只生活在生命的表象。在生命的過程中我們所看到的、所感受到的，大多都只是一種現象，像海洋裡風吹起的波浪，波浪有大浪有小浪……我們的生命是在一種流浪之中，有無數的痛苦，無數的無奈，無盡的憂傷。生命就在這種流浪之中失去眞我，失去自己。有多少人想過『眞我』是什麼？我們的人生眞正需要的是什麼？什麼是眞正帶給我們生命快樂和安慰的？養生就是要回答這些問題，要找到這些答案。透過很簡單的這兩個字『養生』，學會回到自己的本源，能夠在生命的原點來透視我們的人生，透視我們整個生命的所有流程，能夠在這裡找到我們眞正的生命，用道家的話來說就是我們歸根復命的眞義。不管是我們的堅持練功，還是我們的種種修煉，其實都是我們對自我的尋找，對自我的定論，對宇宙生命最透澈的一種看法與實踐。」

＊　＊　＊

道長當夜遙望子夜的星空，無論不眠夜怎麼央求，都不再論說了。道長催促我們去睡覺。他說人要順從規律，子夜是應該安靜進入睡眠的時間，不能白天黑夜顛倒著來。好好睡覺，是善待自己的第一步。

記憶之中少有的，我們在精神還很充沛的情況下，頭腦冷靜地上了床關了燈。而大部分時候我都是在昏頭昏腦中一頭栽到床上栽到夢裡或者栽到了連夢都來不及做的不知道哪裡！

山上的夜安靜極了。夏天的蟲子嘀嘀咕咕小聲叫著。我是安然、愉悅、回味著進入睡眠的。這種感受美妙極了，睡眠不是突如其來的知覺「頓失」，而是在一種遐想，一種享受中悄然降臨。睡眠也有氛圍，像吃飯坐在了鳥語花香、陽光燦爛、或細雨綿綿、或積雪皚皚的花園裡面。

……呼呼……

＊　＊　＊

早晨起來神清氣爽，好像有什麼美妙的事情正等著我，其實只是完成了一個美妙的睡眠而已。心情的愉悅使自己覺得似乎擁有無限的力量，世界的一切美好都在向我敞開！真是難以形容！

院子裡有輕嫋的音樂。依然是道家音樂。一些人正在草地上以非常緩慢、非常緩慢的步子，一步一挪地向前。他們應該是在練一個什麼功吧。

我們去早餐廳吃早飯……

然後年輕的、飄逸的白衣女子帶我們在二樓的練功房，練了一場從來沒有經歷過的道家「導引術」……

＊＊＊

再見到道長已經是上午十點，他正坐在草地上等我們。不眠夜見面就說：

「道長，我可仰仗你了呵，你說我的糖尿病不算什麼病，我早晨可是像個人一樣吃了早飯了，饅頭、粥、雞蛋，什麼都吃，我豁出去了，我打算信你了……」

道長呵呵笑：「你要信你自己，你不了解你自己。」

不眠夜：「道長，我昨晚睡得非常好，因爲我覺得自己有救了。但是我睡著前和醒來後都在想一個問題：你會用什麼方法來治療我的病呢？作爲一個病人，我是應該有權知道的……」

道長：「我再三地說了，我們不是以治病爲目的和手段的，我們是要調整人的生命狀態，提高生命的層次……」（％％％％％％％％％——道長和不眠夜前世是不是繞毛線的轉世？？？）

不眠夜：「道長，我說話你別介意，我不喜歡『提高生命層次』什麼的這樣的說法，因爲這讓我聯想到××功也是這麼說話的，那太可笑了！」

道長笑：「我們不能因爲一個你不喜歡的人穿過這樣一件衣服、吃過那樣一種東西，而對這件衣服、這種食物產生直接的抗拒，對不對？我們的生命就是由提高了生命的層次轉變而來的，從一維的空間躍進到二維的空間，再躍進到三維的空間。」

不眠夜：「你說的是進化論的意思嗎？」

道長：「進化究竟是什麼意思？其實這個解釋至今一直非常模糊。我們的生命不是單細胞進化這麼簡單，我們的生命有幾個本質意義上的躍遷。從道家的角度，我們不同意進化論的漸變論。從道教對生命的本質理解，我們不認爲生命就是一個基因的分子表達。這樣的分歧，在醫學領域最爲明顯。」

不眠夜立刻來了新精神：「你說說，現在不是半夜……」

道長：「西醫的觀點，是把人體當作一個物質性的、結構性的東西，如果再加上心理學，也只是從身、心兩個角度認識身體；而我們的道文化認爲，人是身、心、靈的完美結合啊，我們在概念上就和他們是不一樣的。人是有感情的，怎麼僅僅只是一個物質性的、結構性的身體呢？」

不眠夜不知怎麼聯想到的：「道家就是認爲有神仙？道家的修煉也是爲了成爲神仙？你說的身心靈的靈，有那一方面的意思嗎？」

道長：「你含帶了許多的問題。首先問你，你認爲神仙是什麼？」

不眠夜：「常規的，比如說來無蹤、去無影，不食人間煙火的，能夠做到人做不到的……」

道長呵呵笑了：「那這樣的神仙還是比較多的，我們這裡有已經辟穀快二十天了的，就是有將近二十天不食人間煙火了，按照你的標準，這算不算神仙？還有你說的『來無蹤去無影』，又和我們昨天說的幾維空間有關係……」

我趕快打斷這兩個喜歡繞毛線的人：「道長，你認爲神仙是什麼呢？」

道長沉吟：「給你們打個比喻。假如有一隻只能感受到一維空間的蟲子在地上爬行，牠看到前方也有一隻蟲子在爬行，但是這隻一維空間的蟲子並不知道牠前面那位是可以感受到二維空間的，前面的那位走著走著拐了一個彎，後面的蟲子驚呆了：哇，怎麼突然就消失了呢？是神仙啊！

「而那個二維空間的在拐了一個彎後也看到了前面有一個東西在走，那是一隻跳蚤，是可以感受到三維空間的。走著走著，跳蚤突然往空中一跳，沒有了，二維的蟲子驚呆了：剛才那個怎麼說沒有就沒有了？我遇到神仙了！呵呵，與跳蚤相比，你們就知道的更多了，你們會承認跳蚤是神仙嗎？」

不眠夜：「在跳蚤眼裡，我們是神仙！」

道長言歸正傳：「所以要先知道什麼是神仙。並不是我們不知道、不了解的生命現象，就是神仙。生命有很多種狀態，我們能夠感受到的只是有限的空間。生活在一維空間裡的生命，會認爲二維空間的生命是『神仙』，那我們現在人認爲的神仙是什麼呢？你也可以用科學的方式來解釋啊。」

胖子：「那道家說的『羽化』呢？這不是其他空間來的東西啊，是傳說人修煉成仙，羽化不見了。」

道長：「羽化是道教修行到一定程度的一個形式，也屬於生命存在形式的不同表現。」

不眠夜：「有修煉成仙了、羽化了的嗎？有你見過的嗎？」

道長：「我們修行的方向正是這樣。用現在的語言說，羽化是有科學依據的。」

不眠夜：「什麼科學依據？」

道長：「其實每一個修行的人都能體會到，當你感覺到體內有氣的時候，就是轉化的開始，然後這個氣會越來越強。而你們都還沒有過專門的修煉，所以你們現在還很弱。」

不眠夜又回到牛犢狀，神志不清起來：「道長，你太神了，說得跟眞的一樣……」

道長：「確實是因爲你不了解。道教的修煉一點都不神祕，當你朝這個方向去走的時候，每一個階段都有每一個階段不同的功，這個功一產生，就會讓你感覺到這個能量態和物質態不斷的交替變化，也就是生命交替轉化的一種開始。」

不眠夜牛犢：「人眞的可以活到一千歲？」

道長：「《黃帝內經》和許多道教典籍，探索的就是人能夠活到一千歲的奧祕。」

不眠夜牛犢：「怎麼可能呢？就靠不吃飯？那一千歲的壽星應該產在非洲啊……」

道長：「呵呵……」

道長：「人要活到高壽的起步原理很簡單，聽說過『眞人之息以踵』嗎？」

不眠夜不置可否的表情。

道長：「說的是，從呼吸入手。當人能夠像龜一樣、像胎兒一樣去呼吸的話，就是非常好的一種方法。還有透過功法，比如辟穀功。」

不眠夜：「唉！說這些其實對於我來說都是天方夜譚，還一千歲呢，我這幾十歲都還搞不定呢！道長，你還是先說說我該怎麼辦，你什麼時候可以開始爲我治療？」

道長笑：「難道我們現在沒有在開始給你治療嗎？」

不眠夜驚呼：「眞的？道長？你已經在給我發功了嗎？」

道長笑：「你這麼理解就狹隘了。我們的交談，也是一種治療，修心是同樣重要的治療。因爲實際一點說，如果你對我們的所說所做全部產生懷疑的話，你在心裡會產生最大的抵抗。這種抵抗來自你的內心，從而阻撓你的健康達成——因爲治你病的將是你自己，我們無非想辦法調動了你身體的有效因素。當你打從內心懷疑和抵制的時候，我們再怎麼治療也是沒有什麼效果的。」

不眠夜：「我自己給我自己治病？你別逗我了，道長！」

道長：「我們的治病是沒有任何藥物的，採用的是另外的方式。因爲我們的理論和實踐，與你知道的所有治療方法都是不一樣的。西醫和中醫對糖尿病是怎麼治療的呢？」

不眠夜：「我現在接受的就是西醫治療，打胰島素，降低血糖，不可以吃甜的，也不能吃主食，不可以……很多！其實說實話，我就是受不了這個才遊走江湖，希望找到神仙醫生既能夠治我的病，也能夠讓我吃飽，過像個人樣的生活。我這幾個月來在大江南北遊走、尋訪的，都不應該屬於西醫，應該是中醫什麼的吧。但是你別在意，我確實沒有遇到一個有眞本事的，說的都神著呢，但是……所以中醫的治療我還沒有。道長，我今天吃早餐時才像個人了，你沒見我吃早餐，那完全就是一個健康的人……」

我們大笑！

不眠夜：「哥們兒得病以來都過得像個餓死鬼，像個小賊！在食物面前偷偷摸摸、縮手縮腳、瞻前顧後的。我的病到底怎麼治？道長，你總有一個說道吧！」

道長也笑：「我們的方法是既不打針，也不吃藥。我們透過經絡的疏通來治療。」

不眠夜：「昨天你說經絡是人能量的通道。這個對我來說太玄了，本來人體的能量、氣，都是夠深奧的，你還給它們弄個通道，還用來治病……」

道長笑：「這個通道可不是我弄出來的，每個人身上都有……」

不眠夜：「那經絡是個什麼東西？它哪怕是像神經一樣、像血管一樣能夠看見也行啊？搞得像靈魂一樣——這是你說的，屍體解剖只有靈魂和經絡是找不到的。」

我：「感情和思想也找不到。」

道長：「屍體解剖就是有侷限的，屍體不能代表活著的人。」

不眠夜：「我說的什麼意思呢？就是說像針灸，就有針對的穴位，這些穴位不是屍體解剖也剖不著嗎？但是我們活人能夠感覺到，找到穴位時會又酸又疼，每個人都能夠體會到，比如說『合谷穴』，在任何人身上都是在那個位置，這也可以說是摸得著的東西吧？可是你說這個經絡，我能夠感受到嗎？」

11
天人合一

道長：「中國人的哲學與生命的感受是不可分離的。比如說『天人合一』，你們知道什麼是天人合一嗎？」

不眠夜以很可憐的聲音：「道長，我們先不講哲學和什麼天人合一了，我們下午就下山了，先講講我這一百多斤怎麼辦……」

道長沉吟。

道長：「其實到底有沒有經絡，已經是非常具體的問題了。整個中國的醫學，從西方醫學的角度來看，他們曾經是不承認的。幾十年前中國的醫師——中醫師啊，是不被允許在西方開業的，因爲他們完全不承認中國的醫學。電影《刮痧》看過嗎？從另一個角度講述了這個事情。這是一種巨大的文化衝突，雖然在表現上似乎只是一朵小小的浪花。」

不眠夜未置可否的表情，看得出他也不願意把自己裝入「西方醫學」的大罐子裡面。他在北京時說過，「只要中醫管用，我TMD絕對不打胰島素！」

道長：「《刮痧》的故事和現實中發生的事情有相似的，在西方，尤其在美國，『刮痧』這種行爲很難被理解，屬於很不正常的。電影裡面這個被刮痧的孩子一到學校，老師就報警了。我們中國人說是在治病，美國人說這叫虐待，因爲他們不相信這樣能治病。而你也舉不出治病的理由，他也沒有發燒，沒有什麼能夠證明病了的證據。但是我們中國人都知道，『刮痧』意味著什麼，什麼時候我們需要刮痧，起到什麼作用。類似於刮痧這樣的行爲，在西醫沒有進入中國的這麼多年以來，從皇帝的宮廷御醫，到民間的各種大夫、醫師，我們中國人用我們的方法在歷史的長河中治療了無數的疾病，但是拿到西方去，就無法得到證明。所以近現代以來，以『醫術』爲代表的兩種文化產生了激烈的衝突。中國的經絡學在西方就更加得不到承認，因爲就像你說，那是『找不到』的東西。一直到近二十年，情況才發生轉變。」

不眠夜的手在自己的胳膊上掐掐捏捏的：「找到了嗎？」

道長：「東、西方的文化差異啊，可以細緻到對一個具體問題的看法完全南轅北轍，也可以提升到哲學宏大的層面……」

不眠夜：「道長，講糖尿病，求你了，別講宏大的哲學……」

道長：「中國人的哲學與生命的感受是不可分離的。比如說『天人合一』，你們知道什麼是天人合一嗎？」

不眠夜以很可憐的聲音：「道長，我們先不講哲學和什麼天人合一了，我們下午就下山了，先講講我這一百多斤怎麼辦……」

我們笑。

道長笑著：「我們這就是在治病啊……」

不眠夜：「哎喲，道長，這就是治病啊！你別忽悠我了……」他似乎要從椅子上滑落到草地上了……

道長：「你不是相信穴位嗎？那請你告訴我，我們人的身體裡有多少個穴位？」

不眠夜：「我沒有去統計過，我沒有學過中醫……」

道長：「人體一共有三百六十五個穴位……」

我們瞬間睜大了眼睛？？？

道長：「相當於我們一年的三百六十五天。這三百六十五個穴位分別埋布在十二條經脈……」一年的十二個月……

道長：「而這十二個經脈又歸屬於任、督二脈。」

我想到白天和黑夜……

道長：「任督二脈又分布有五十二個穴位。」

一年的五十二週……

道長：「我們說的哪一條經脈，它就一定配了哪些穴位。你可以看看我們的內經圖。」

道長返身指著身後的黃牆，正是我昨天問的「牆上畫的是什麼」。

道長：「這些數字都是我們非常熟悉的，我們的一年是三百六十五天，有十二個月，有五十二週，一天由一個白日、一個黑夜組成，正好對應了我們的穴位、經絡、任督二脈。還有從我們人的頸椎到尾椎，一共有二十四節，也正好對應了一年的二十四個節氣……」

胖子：「我記得人體頸椎的第一節就好像就叫『大雪』。」

道長：「這一年的三百六十五天，十二個月，一天的白日與黑夜，農曆有二十四個節氣……幾乎人人都知道，但是，可能很少有人把這些與我們自己的身體對應、等同起來考慮。這是最直觀解釋的『天人合一』。」

我看著道長身後牆上的圖文：「道長，那這就是人體的經絡圖了？」

道長：「準確地說，這是用來修煉的經絡圖，指導人修煉的道教內丹修煉圖。在這張圖裡面，隱藏了怎樣使人由一個普通的人轉變成爲『超人』——也就是如何轉變我們生命的形態，這張圖上面都有詳細的描述。實際上也是經過修煉的不同次第，揭示了生命不同層次的狀態。」

我們都呆呆望著這張圖，彷彿奇蹟會在這種凝望中突然降臨……

道長：「只有經過高人指點才能夠明白此圖的奧妙，直達生命的奧祕。在我們的古代社會，這張圖難倒了多少的英雄好漢！」

不眠夜：「道長，我這個生命層次，先得解決低級的糖尿病問題。但是我還要說，怎麼證明這個經絡的存在？因爲這個看不見。穴位確實存在，這個我承認，但是也不能因此證明它們的集合就是經絡。就像我們不能夠說有鼻子有眼就等於是臉了，而臉還得有一個臉盤兒……」

道長：「我們的經絡確實是由很多穴位組成的，它們就像一張網一樣分布在我們的身體裡。經絡和穴位本來就是一個整體，我們中國的經絡學，就是這麼講、這麼認爲的。你的比喻是有些道理，像我們的人體，就是由腳和手，以及身體各個部分組成的。在經絡中，首先是人體的任、督二脈。」

我：「老是看到武俠小說裡有任、督二脈的描寫，準確地講任、督二脈在哪裡？」

道長：「任脈位於人體的前正中線，止於舌下，分支到目下；督脈位於人體的後正中線，過頭頂，止於舌上顎。我們的任督二脈就分布有五十二個穴位。」

我們聽著。

道長：「去年我受到德國一個城市的市長邀請，爲他們的一個政府專案作『堪輿』諮詢，到了德國我才知道，德國代表的西方社會現在對中國的中醫、中國人講究的經絡學，特別在意了。他們告訴我，他們已經投入了鉅資研究中國的醫學。」

不眠夜：「請你去給德國人堪輿？」

道長：「是啊，就是看風水。到了德國之後，首先市長本人的病被我檢查了出來，他非常吃驚，因爲我沒有運用德國非常先進的任何一種醫療檢查手段，只是用了我帶去的一根電線。然後他們就做了一系列的活動調整，馬上組織了他們的醫院啊，國家醫藥課題組啊，醫生博士啊，和我一起交流。」

「他們相信人體有經絡？」不眠夜睜大了眼睛。

道長：「那次我在德國才了解到，首先是美國，他們在上個世紀八十年代的時候，透過現代的科技手段證實了我們中國人說的經絡的存在。他們用的是紅外線成像技術，就是紅外線成像的攝影技術，拍攝人體能夠出現人體能量的圖像，透過紅外線攝影做到了用能量來描述生命的狀態。美國人從紅外線攝影的過程中，發現人的生命磁場有一個光暈，在人的輪廓外面有一圈薄薄的光暈。一個人體的輪廓，裡面是由紅色、白色各種顏色的氣團組成。這是西方一直以來以屍體解剖作爲核心的實證醫學所沒有發現的。在屍體解剖的時候，血管能夠找到，神經也能夠找到，但是你既不可能找到穴位，更不可能找到經絡。經絡是我們人體氣的通道，屍體是沒有了氣的人體，怎麼還可能找到氣的通道？」

胖子：「能量是不是像磁場一樣的東西？」

道長：「這些都不是看得見摸得著的東西。但是在二十年前，美國人終於找到了。只要這個人是活著，透過紅外線攝影就能夠看見人周圍的一圈光暈，越健康的人，光暈就越亮；越有疾病，光暈就越暗淡；而人一死亡，變成爲一具屍體的時候，這個光暈就沒有了。這個光暈是很亮麗的，我們現在可以用能量來描繪生命，我們都知道生命是有能量的，人死了之後，這個能量就耗散了，屍體就沒有這個能量場了。因此，人的生命磁場就這樣被觀察到了。人活著的時候和死了的時候，健康的時候和不健康的時候，磁場狀況是不一樣的，『明暗』的程度不一樣。你剛才提到磁場，生命就是有磁場的。如果我們用紅外線成像技術再進一步細分它的話，就會發現它的磁波並不是整齊劃一的，它們有長有短，簡單地說就像雞蛋的殼，它們是一個完整的整體；如果把它拿到顯微鏡下去看，那就像山谷一樣，有斷裂層，有山丘，有低谷。去細看人體的光暈，實際上會發現這個波也是有長有短的，把同一頻譜的波連成線，得出的結論和中國的經絡圖是一樣的。所以在這個事實面前，美國人在上世紀的八十年代，第一次承認了人體的經絡，而我們中國人在四千多年前就知道這個了。」

12
千年道醫

道長：「德國人給我的第一個問題就是，『你說的這個經絡，現在美國人證明了，德國的醫學發展也證明了經絡確實存在，但是我們覺得不可理解、覺得最神奇的是，在幾千年前，你們中國人是怎麼知道的？』」

我聽得糊塗了。我們向來都認為美國的科學技術代表了人類有史以來最高的階段，而按照道長現在的說法，二十年前，美國人利用他們先進的現代科學設備與先進的思維，僅僅是證明了我們中國人四千多年前的理論和認識。

我：「我們怎麼會早這麼多年發現人體的經絡呢？是怎麼發現的呢？」

道長：「這個就是我在德國被問到的第一個問題。德國人在十年前，走了一條與美國人完全不一樣的路線，他們透過聲納接收的技術，在人體身上同樣找到了我們的經絡。我們整個人的身體，我們的每一個穴位，在不同的部位，其磁場的狀態是不一樣的，用了聲納接收儀，可以在各個部位找到和中國人描述的完全一樣的穴位存在，它（聲納接收儀）順著我們身體的經絡走，一到穴位的位置，就特別地鳴叫，聲音是完全不一樣的。」

我：「這是德國人描述給你聽的，還是你自己聽到、看到的？」

道長：「這是德國人的科學成就啊！德國的醫學研究機構花費了鉅資、第一次把我們中國人認識到的人體經絡，作為一種生命的現象來研究。研究的結果是，他們宣稱了，他們以他們的方式，也找到了人體的經絡，找到了穴位，與我們中國四千多年以前的發現是完全契合的。現在不止是德國，全世界很多國家都在研究中國醫學，特別是經絡的現狀。」

不眠夜自嘲：「起碼我和世界先進國家第一線科學的思維方向是一致的！」

道長用了一個解嘲的表情。這個表情讓我們心裡挺得勁：當代第一線科學相比中國的四千多年，確實挺年輕的！

道長：「德國人給我的第一個問題就是，『你說的這個經絡，現在美國人證明了，德國的醫學發展也證明了經絡確實存在，但是我們覺得不可理解，覺得最神奇的是，在幾千年前，你們中國人是怎麼知道的？』」

道長：「德國人的這個問題讓我心裡很驕傲。其實我們的老祖宗在四千多年前告訴我們的，他們發現或者知道的，又何止是經絡？而當代科學的發展、利用聲納接受儀和紅外線成像技術，在四千多年後的今天，才知道了生命有這樣的一個現象。顯微鏡也是，雷達所謂的『千里眼』也類似。」

我：「那我們究竟是用什麼樣的方法在四千多年前就知道、發現的呢？」

道長自己呵呵笑起來，好像這是一個很好笑的問題。

道長：「你們知道我們自己的中醫教材上是怎麼解釋的嗎？是這麼說的：勞動人民在勞動的過程中發現了經絡。這是什麼意思呢？比如開個玩笑說你不小心在原始社會的時候摔了一跤，正好摔在了你的合谷穴上，很酸很脹，還順便把你的牙疼治好了，記錄下來了；然後隔了幾十年或者幾百年，你又一不小心摔了一跤，摔到了你的環跳穴，又很酸很脹，順便把你的腿痛給治好了，又記錄下來了；又隔幾百年，一不小心又摔跤摔到了自己的百匯穴了，感覺到眼冒金星，頭昏腦脹，同時呢，一不小心又把你的視神經萎縮給治好了……這些摔了跤的人，第一要有很高的悟性；第二都需要正好有病，而且一不小心摔跤摔到的地方都與他們的這個病有關；第三，他們偏巧都要有很好的運氣。所以，隔幾百年摔出這麼一跤已經是有很高的效率了……」

不眠夜：「那老外怎麼不摔跤呢？」

道長：「是啊，首先要承認外國人從來不摔跤的；或者是說太不巧了，他們都沒有摔準，呵呵！當然，我覺得這是非常幽默的說法。其實很簡單嘛，每一個人按照中國道家幾千年修證的方法去練功的話，氣練到一定的程度，自然會氣行百脈，氣通經絡，我們體內的氣自然會循經自轉，順著我們的經絡走。所以，經絡的發現不是『勞動人民在勞動中……』，而是我們中國道文化的實證功法。我們中國人有自己的道家實證科學。」

我：「但那是中醫在解釋啊，怎麼確定是中國的道家發現的呢？怎麼證明與道家相關呢？」

道長：「因爲中醫是中國道家派生出來的。」

不眠夜：「什麼？中醫是道文化派生出來的？」

道長：「也可以說是道文化在中國醫學領域的運用。」

不眠夜：「道長，如果這事和中醫有點關係的話，我還是有點相信的，否則我剛才擔心，我是不是會成爲你手下的白老鼠了……」

道長：「在我這裡沒有白老鼠。道醫有幾千年的經驗和經歷，打通經絡可以治療任何的病，那可不是我說的。」

不眠夜：「透過打通經絡，就能夠治好任何的病（#@#@#@#@好像毛線團又來了……），那我的糖尿病就確實不是什麼問題了！現代醫學就不在話下了！」

道長：「某種程度是可以這樣理解的。中國傳統文化之偉大，在各個領域的體現，遠遠超過我們已知的理解。而治療你的糖尿病，在我們確實不是難事。我們先不說道教，你很願意相信的中醫也是這麼認爲的，『通則不痛，痛則不通』，這是一個非常基本的中醫概念，是中醫的一個核心。經絡暢通，百病消除。」

不眠夜：「這個是大白話，這個理我懂。」

道長：「而這個大白話所表達的核心意思是，當你在有疾病的情況下，你的經絡肯定是不通的。那麼，反過來，當你的經絡是暢通的時候，不可能有疾病，就叫『通則不痛』……（@#@#@@#@#@#@#）……『通則不痛，痛則不通』是經絡學裡的一句原話……」

我著急地：「是，這個說很多遍了！」

不眠夜：「很多人不知道自己身體穴位分布的情況，不知道就是不使用，但是也一輩子過來了……」

道長：「不知道未必就是不使用。我們對自身的所謂認識，是非常不全面的。我們中國人大多知道穴位，卻不知道經絡。其實經絡就是穴位的系統，所有的局部相加就等於這個系統。」

不眠夜：「中醫是道……的運用是什麼意思呢？」

道長：「中國有一句話，叫『醫道同源，十道九醫』。如果有人問『中國歷史上最著名的道長有誰』，我們能夠說出來的，十個裡面有九個是名醫。比如像孫思邈、華佗、扁鵲，這些名醫都是道士或方士，是道長。還有像杭州葛嶺的葛洪，還有像李時珍，這算是旁證吧。中國文化的根底就是道家文化，道文化開中國萬世不易之根基。道文化在中國醫學領域裡的應用，體現出來的就是中醫。中國的中醫包括醫學和藥學。就藥學而言，不僅是中國，全世界的藥學和原始化學的肇始者，來自道家的煉丹，這還是上古之事。煉丹最直接的貢獻，就是開創了原始的化學和原始的醫學。我們常常如數家珍般地談中國古代的四大發明，都是很直接地受到中國道家的影響，其中最受影響的是指南針和火藥。歷史上記錄道士在煉丹的過程中引發了爆炸，這是火藥第一次被發現。指南針是很早以前，道士們在山上爲煉丹探測地磁、地脈、地理與人體的關係過程中被發明出來的。除了這兩大發明，我們先人在煉丹的過程中還發明了這個丹、那個丹，都是來自最早的、那時煉丹的丹學。丹學最早地進行了藥物的考察和本草的記載，並且也對礦物質進行了最早的考察。最讓我們自豪的是《神農本草經》，它是全世界第一部藥書，是記錄在《道藏》的一本經書。」

我們聽得眼花繚亂，心緒翻飛……道長說的大部分東西，我們曾經都知道，但是沒有這麼聯繫到一塊兒的知道過……

胖子：「《神農本草經》距今也有好幾千年了吧？」

道長：「有很悠久的歷史了。這部經書是全世界公認迄今爲止，出現最早的一部藥典。最早的煉丹就被納入到了道家的修煉過程中。」

不眠夜：「但是，道長，你剛才也說了，中醫的核心是《黃帝內經》……」

道長：「《黃帝內經》是中醫的根本，整個中醫的根本經典。《黃帝內經》開篇不久是這麼說的：『上古之人，其知道者，法於陰陽，合於數術……』，很長的一段話。它講上古的人，知道道的人，能夠可以師法陰陽，合於數術——那麼我們明白了，上古的人『其知道者』，是法於陰陽，合於數術，那陰陽觀啊，五行觀啊，都是知『道』的人，道是它的根本，所以它毫無疑問承襲的是道文化。」

不眠夜：「請再說得具體點。」

道長笑：「這麼充分的依據還不具體？好，我再說多一點。從醫理上來講，我們去翻開任何一本中醫的教科書，裡面都會說到中國的醫學來自四大哲學基礎理論，這四大理論體系第一是它的整體觀，這也是我們西方醫學的分歧，以後再說。整體觀來自我們中國最早的道家『天與人一也』的觀念。第二是陰陽觀念，我們認爲所有的疾病需要辨症施治，這個陰陽之學認爲，表現出來所有的病都是陰病和陽病。我們說一個人的身體健康，在中醫，就會說調節你們身體的陰陽平衡，達到陰平而陽秘，這都是陰陽辯證，都是一陰一陽。後來陰陽之學的發展又成爲我們這個時代電腦語言的奠基，二進位制的建立。第三個學說叫五行學說，五行就是金木水火土，它們之間有深刻的影響。五行相互的關係非常重要，我們的內臟，心肝脾肺腎，都與金木水火土相關，心屬火，脾屬土，腎屬水，肺屬金，肝屬木。在藥學上，我們的中藥，五藥入五性，也分爲木類、金類、火類、水類、土類，分別治相對應的病。中醫的核心思想就是五行學說，而陰陽五行是道文化的一個重要文化遺存。由陰陽魚組成的太極圖是道家的精髓表達，太極拳是道家創造的。還有一個學說，是精氣學說，就是我們老是在說的元精、元氣。精氣學說來源於道教修煉的精、氣、神三個層次，來源於道教對於生命修煉的一個認識。只不過中醫講的是精、氣這個層面，道教講的是精、氣、神一個完整的東西。我們常常會議論說『某人傷了元氣』，這個元氣、精氣的理論，是中醫的四大哲學基礎之一。離開了我們的整體學說，陰陽學說，五行學說，精氣學說，中國的醫學理論，我們的中醫，就沒有體系可言，沒有其他的核心東西了。這樣說得具體了沒有？」

不眠夜：「沒有了嗎？」

不眠夜口氣不改。但是，他眼睛裡面的神色改變了，由不經意的不恭玩世，變成了可能與我們一樣的專注，想聽。

道長：「中醫學的醫理也好，藥理也好，都來源於道文化，最早的醫藥實踐和醫學實踐也都來源於道家，所以，中醫可以說是中國的傳統文化在醫學領域的應用。而中國傳統文化如果用一個字來表達的話，那就只有『道』之一字才能夠加以概括。中國的傳統文化非常博大，具體的三個主幹就是我們的儒、釋、道三家。分析這三個文化，儒家的『朝聞道，夕死可矣』、『道也者，不可須臾離也，可離非道』，佛家的『永斷無明，方成佛道』、『反聞聞自性，性成無上道』，以至於以『道』名教的道教文化，大都彰顯著道教王重陽祖師宣導的『儒門釋戶「道」相通，三教從來一祖風』的道文化風範。所以說中國文化的根底是道文化，而中國醫學是從道文化派生出來的，是道文化在醫學領域裡面的應用。」

13
疾病到底是怎麼一回事？

不眠夜：「道長，從你的觀點看，疾病到底是怎麼一回事？」

道長：「任何一種疾病，從其本質意義上來講，首先是一種能量的變化，用哲學來描述就是由量變引起質變的過程。」

那夜——

不眠夜：「在中國，一直盛行的是佛教。」

道長：「不完全是。只是階段性的……」

不眠夜：「佛教對中國社會的影響很大。」

道長：「現在我們所宣導的和諧社會和文化，與道家的文化有著密切的聯繫。」

胖子：「道長，道文化的核心是什麼呢？」

道長：「最核心的是天人合一。」

不眠夜：「不會就是人體穴位與一年各種數字的種種巧合吧？」

道長：「並不是巧合，但是這也僅僅是一個方面。天人合一的原話在道家的《南華眞經》裡是『天與人一也』，意思是說，天和人就是一個東西。這就是中國人最早、最樸實的整體觀念。我們認爲不是自己是個整體，而是我和宇宙是一個整體。」

不眠夜：「那不是我病了，是宇宙病了？」

道長笑：「你們應該聽說過全息理論吧？這是科學目前的進步。『我與宇宙是一個整體』這個說法，以前無法印證，現在全息學說的出現，從大家認可的科學角度，證實了我們的生命與宇宙是一個整體。個體的片段資訊，實際上包括了所有的全部。現在我們終於認識到了，也承認了。宇宙是個大天地，我們人是個小天地；宇宙是大宇宙，我們人就是一個小宇宙。這個在道教的『周天學』早就講到了，講得非常好。」

不眠夜撫摸著自己一度相當飽滿而如今癟殼了的肚子，自言自語：「西醫沒有把我當作一個小宇宙來重視……」

道長：「西醫認識疾病的方式確實比較表面。人是萬物之靈，但是西醫並沒有把萬物之靈的人的意識納入人體的診治系統。近年來西方隨著科學的發展，也開始透過對於經絡的認識，進入了一個能量醫學的門徑。」

不眠夜：「道長，從你的觀點看，疾病到底是怎麼一回事？」

道長：「任何一種疾病，從其本質意義上來講，首先是一種能量的變化，用哲學來描述就是由量變引起質變的過程。」

不眠夜：「這個描述太隆重了！西方醫學也應該進入了能量醫學的門徑吧？」

道長：「是的，在他們證實了我們中國人對於人體、對於經絡的認識之後。用能量來描述生命體的狀態，是現在一個世界性的趨勢。而經絡就是能量的流通體系，以能量來描述生命，中國道家在四千多年前就提出來了。」

我：「那道長，一個疾病，怎麼用能量來描述呢？」

道長：「比如說所有器質上的疾病，算不算是一種物質？從病的角度，有沒有人考慮過究竟什麼算是物質？物質的範圍有多大？是不是只有看得見摸得著的東西才算是物質？那麼在一個病形成之前算是什麼呢？平時我們的手機在接收的波，算不算物質？波和波群算不算物質？磁場算不算？波和波群，還有磁場，這些都是以能量態存在的。這些問題的重新判定，重新考慮，重新劃分，將會帶給我們一個新視野、新天地。」

不眠夜：「道長，你說話的領域太大……」

道長：「如果要講明白什麼是用能量來描述生命，就要清楚我們對物質的概念。上個世紀的重要科學發現是相對論，按照愛因斯坦的說法，我們有兩種實在，一種是實物粒子，一種是場。那麼什麼是實物粒子、什麼是場呢？也就是說什麼是物質，什麼是能量？愛因斯坦的偉大相對論說法是：能量是獲得了釋放的物質，物質是等待獲得釋放的能量。那麼怎樣來看待疾病？」

不眠夜飛快造句：「疾病是等待獲得的健康，健康是獲得了釋放的疾病！」

我們大笑！

道長也笑：「你剛才問究竟什麼是疾病，道理也是一樣。在疾病形成器質性病變之前，是個量變和質變的關係，疾病首先是一個能量態的轉變。在這點認識上，現代西方醫學透過現代的科學進步與發現，已經得到一個成型的證據了。這個證據，吻合了我們道家幾千年前對生命、對疾病的看法。」

不眠夜：「太深奧了，請舉例說明。」

道長：「比如說，當化學分子式沒有發現之前，當顯微鏡沒有發現之前，全世界的醫學都沒有認識到分子結構是怎麼回事，也沒有對生命認識到細胞這個層面上去。我昨天講過的，在我們中國古時候，喝水之前要念一個飲水咒，『道觀一缽水，八萬四千蟲……』，我們在那時就認爲水裡也是有生命的，要念了咒才能喝。因爲如果不是你喝水，那些生命就不會完結，所以喝水前要超度他們。」

胖子：「八萬四千蟲能夠等同於細胞嗎？」

道長：「我們說的『八萬四千蟲』是有很多很多的意思。這個認為在以前絕對是被歸納於迷信一類，對不對？一直到上個世紀西方顯微鏡的發現，確信了水裡面就是有很多的生命，那麼才說，哦，原來中國人早在幾千年以前就知道這個事情了。」

不眠夜：「除了中國人之外，沒有其他民族、其他國家意識到水裡的八萬四千蟲，意識到人體的經絡嗎？」

道長笑：「沒有任何一個民族的文化能夠像中國的道文化一樣，流經四千多年，一直保留到今天。

「德國的醫學專家，把人體經絡的發現稱作是中國的第五大發明，雖然他們不知道為什麼中國人在幾千年前就知道人體的經絡。我想說明的是什麼呢，當化學分子式沒有發現之前，當顯微鏡沒有發明之前，人類對事物的認識，對生命的認識，絕沒有推進到接近生命本質的程度，也就是說在科學沒有進步到現在之前，我們沒有能力在分子的程度上認識我們的生命，也沒有能力從細胞的程度上、細菌的程度上去認識生命。如果說在上個世紀沒有出現愛因斯坦，沒有出現質能互換定律，沒有出現相對論，沒有出現資訊的學說，能量的學說，我們也不會把這個世紀對生命的認識推進到能量的程度上去。但是我們中國的道家文化在幾千年以前，就到達了如今科學的發展所探索到的能量範圍。你們難道不覺得，『哦，我們古老的中國道家文化，原來在幾千年以前就已經非常偉大了』了嗎？」

14
生命是什麼？

我：「道長，你認為生命體，就是說人，是什麼呢？」

道長：「我認為我們的生命體至少應該包括這幾個方面：第一是物質，就是我們的肉體；第二，生命應該包括能量，因為生命有磁場；第三，生命還應該包括訊息。」

我：「對於人體來說，如果用物質來描述，能量是什麼？」

道長：「能量就是氣嘛！平常說法是給你們發功送氣，就是給你們的身體輸入能量。」

不眠夜：「西醫怎麼認識到能量醫學的實質？」

道長：「同樣的病，西方的醫生到現在才認識到，是身體有毒素的問題，排毒的問題。我們的醫學進步了，也就是說，現代醫學能夠從能量的程度上認識、從我們生命的分子程度和細胞程度上認識到我們生命的狀況。但是這個進步才剛剛開始，一直以來的大部分情況還是在結構上認識生命狀態，在物質上認識生命狀態。」

胖子：「能夠從結構上認識到生命的狀態，我們一直認爲這是西方醫學、科學的先進性啊。」

道長：「我們中國人歷來不是這麼認爲的。難道我們的生命僅僅是物質嗎？還是只等同於物質？我們說這一堆肉就是生命嗎？誰會這麼認爲呢？如果從物質、結構的角度理解生命，有充分的運動就應該讓人達到健康啊，那麼運動員應該是最健康的，但是這樣的健康爲什麼不能夠達到長壽呢？是什麼原因讓很多的運動員不能夠享受頤養天年呢？」

我們面面相覷。我們從來沒有這樣想過問題，從運動員的生命狀態，聯想到生命的質地問題。

道長：「有相當長的時間，西方的醫學基本上都還在生物認知的水準，停留在從結構上認識生命，並沒有昇華到從身和心的複合狀態上去認識生命。人可以說是萬物之靈，作爲萬物之靈的人，最大的特點是什麼？」

清風拂面。草地上輕輕響起昨天晚飯時同樣的道家音樂，這是快要吃午餐的訊息。

道長：「人最大的特點是有智慧。然而，現代的西方醫學並沒有把我們作爲萬物之靈的智慧，納入到我們的醫學對象，即我們的病人身上去。沒有把病人智慧化，所以西方醫學只能算是生物醫學……」

不眠夜：「生物醫學非常不對嗎？」

道長笑：「極端的說，就是白老鼠實驗過沒有問題的藥，病人就可以吃。手術計畫也是一樣，可以經過多少例動物試驗的，就可以給病人做了。但是人是有智慧的萬物之靈啊。

「像你現在，」道長看著不眠夜，「被現代醫學診斷出來的疾病，都已經形成疾病了，它絕不可能在疾病形成之前告訴你。那麼我們就要問，疾病形成之前是什麼狀態？當人體的病理信號超過百分之五十的時候就產生了一種器質性病變，當它還沒有造成器質性的變化之前，它是什麼呢？」

不眠夜：「那你經過經絡的檢查，知道的是什麼呢？」

道長：「簡單地講，經絡就像一個線路，這個線路信號如果是通暢的，就會把信號正常地傳回來；如果一旦不通，它也會馬上傳回來。你們每一根手指頭都有穴位與身體的各個經絡相通，所以經過經絡的『回路』，我能夠知道你們疾病形成前的狀況，也就是未來身體的狀況。」

我伸出手看著。胖子也翻來覆去看著自己的十個手指：「手指頭只有十個啊……」

道長：「經絡是可以交叉的。像你們在高速公路上開車，這條道路既可以通這個城市，又可以通那座城市。經絡是個管道，電流在管道裡巡行，如果遇到不通就會發生堵塞，堵塞就把信號反送了回來。這樣，我發現了在我們的身體裡面更深層次的疾病。這是一個巨大的轉換。我們治病也不過是用同樣的原理，把這個堵塞了的東西疏通掉，就形成了經絡的治療。」

不眠夜：「西方醫學在逐漸了解我們的人體認知之後，有改變嗎？」

道長微笑：「他們從整體上提出了回歸自然，提出了現代醫學中的種種誤解。從這個角度，我們的經絡學反證了他們現在提出的能量醫學、用能量來描述生命的狀態。」

……

我：「道長，你認爲生命體，就是說人，是什麼呢？」

道長：「我認爲我們的生命體至少應該包括這幾個方面：第一是物質，就是我們的肉體；第二，生命應該包括能量，因爲生命有磁場；第三，生命還應該包括訊息。」

我：「生命包含訊息？」

道長：「訊息是生命的系統程式，比如我們思維的模式，還有思維的呈現，還有我們生命各種各樣系統功能的活動，各種各樣的程式，這種系統程式都是訊息的反映。生命是一個身心的複合體，訊息、能量和物質。我在醫學院講課的時候這樣界定：生命等於能量、物質、訊息的組合。這樣，構成人的一個新的概念。」

15
陰陽平衡，身體就健康

胖子：「身體不健康，實際上是因為身體裡的陰多了？或者陽多了？」

道長：「是。」

胖子：「平衡陰陽的手段就是疏通經絡，身體的陰陽達到平衡了，身體臟器（五臟六腑）的工作就健康了？」

白雲觀的小餐廳。我們上山後的第二頓正餐。

菜香撲鼻，有紅有綠，有麻有辣，重慶菜的誘人可以極盡你的想像，然後發現就在眼前，盡在其中！頭十分鐘幾乎沒有任何的語言，首先道長強調「食無語」；其實，眞正讓我們無語的，多半是因爲菜的美味——心與嘴都無法他用。眞理總是隱藏在眞相之中！我們尊重著道長不斷的提醒，盡量表現出「細嚼慢嚥」的樣子。呵呵，發現眞理和實踐眞理，根本不是一碼事！

不眠夜終於享受著度過了一個愉快的小高潮：「道長，我不得不再次表達一下，這像個人一樣吃飯眞是太好了！」

我們微笑著，發出「嗯嗯」「啊啊」的曖昧附和，連嘲笑他一下的工夫都沒有。

不眠夜：「道長，我們眞的下午要下山了，所以，我想請求你，略微做一點犧牲，再給我們講點兒，行嗎？」

道長好脾氣，微笑，放下手中的筷子：「好，我也差不多了。你還想我說點什麼？」

不眠夜：「可以這樣吃東西，多好啊！如果辟穀，眞的能夠堅持住嗎？這怎麼能夠堅持呢？不能吃飯，簡直就像要殺了我啊！」

道長：「能夠堅持。在我這裡，辟穀還沒有失敗過的。最長時間有二十八天的。」

不眠夜立刻夾了一筷子紅油油、沾著蔥段的回鍋肉塞進嘴裡：「我靠……」

道長看著他：「我現在並沒有限定你的飲食，但就是一個健康的人，飲食也是要有節制的。什麼東西過分了都會引來麻煩。你們吃得都太快了。」

我們含笑點頭，其實內心都在爭辯：這還快？都比平常慢好幾倍了……

道長：「我一直提醒你們要細嚼慢嚥。細嚼慢嚥本身就是治病的，和學會呼吸一樣，是非常重要的養生之道。」

不眠夜：「那麼多天不吃東西……你能夠確定他們真的沒有吃嗎？還是你不知道的時候，他們在屋子裡偷偷吃了？反正我不大相信，我要是辟穀了，也不能夠確保我……」

道長：「你一樣能夠做到。大部分人並不了解自己，都活在自己自以爲了解了的這個世界裡面，根本不知道自己身體的眞正潛能。我們自以爲了解的，其實大多是誤解，我們從根本上是很不了解自己的。」

不眠夜趁機又飛快地夾了一筷魔芋燒鴨送入大嘴：「那我趕快多存點兒！我辟穀能不能夠從十五天開始？」

道長：「以你現在的狀況，如果不是一開始就二十一天，對你根本就沒有用。透過辟穀，你會多了解自己一些。你們依賴外界的東西太多了，任何方面，包括知識，對自己卻知道得很少。對於你們自己來說，你們才是最重要的。」

不眠夜：「對於我來說，食物才是最重要的，道長！我難以想像我怎麼可能二十一天不吃東西！水可以喝吧？在水裡面沒有加營養素？出了人命怎麼辦？」

道長笑：「很快你就會知道你這樣的想法有多麼可笑！辟穀的時候，你自己去山上提水，你總不會認爲我們在山水裡放了營養素？再說，有什麼營養素可以比得上我們人體自己的供給呢？」

胖子：「道長，你自己辟穀嗎？」

道長：「要辟穀啊，這是我們修煉的一個過程。」

不眠夜：「道長，你辟穀的話是多少天？」

道長：「有幾天的，也有二十八天的，還有兩個月的、三個月的。我最長的一次有半年。」

不眠夜：「道長，有沒有其他的道路可以選擇，如果不辟穀也能夠治好我的糖尿病呢……」

道長：「並不是每個人都適合辟穀，辟穀也不是用來治病的，但卻是治病效果最好、見效最快的。我用打通經絡的方法來治療，同樣可以治好你的病。」

不眠夜：「用打通經絡的方法治療可以吃東西吧？」

道長笑：「不吃東西有那麼恐怖嗎？」

不眠夜：「哎呀道長！你試試就知道了……」

道長笑：「我還需要試試嗎？」

不眠夜：「道長，不是每個到你這兒來的人都欣然接受辟穀吧？」

道長：「應該說不是每個到我這兒來的人，我都提議讓他們辟穀的。辟穀是很高級的一種手段，是徹底排除毒素的方法，是整體的一種治療方式。我剛才說了，我們道家醫學在不辟穀的情況下，也有很多方法能治你的這種病。我們整個通過四大理論基礎建立起來的中國醫學，其中技術的核心，就是道教在修行實踐中發現的經絡，從而產生了一個經絡的理論和經絡的治療方法。我們所看到的，所經歷的，所有的吃中藥、針灸、推拿按摩，一系列的這些方式，無一不是對經絡的疏通，用這種方式來調節我們身體的狀態，調節我們的陰、陽。生命的健康，在於陰陽的平衡，調節你的陰陽，達到陰平陽秘。陰陽平衡，身體就健康了。」

胖子：「身體不健康，實際上是因爲身體裡的陰多了？或者陽多了？」

道長：「是。」

胖子：「平衡陰陽的手段就是疏通經絡，身體的陰陽達到平衡了，身體臟器（五臟六腑）的工作就健康了？」

道長：「健全了。我們針灸也是在調節我們的經絡，吃藥也是爲了疏通經絡，推拿與按摩也是爲了疏通經絡，這些都是達到陰平陽秘的根本手段。而辟穀是一個生命的整體調節，不是一個治療的問題，是生命體中存在的毒的因素、有毒的病，全部給你治療好——這是整體排毒。疏通經絡是有針對性的，針對你們身體的問題，透過疏通經絡來完成治療。」

胖子：「疏通經絡使用的中藥、針灸、推拿，和中醫治療是一樣的吧？」

道長：「不完全是。我們疏通經絡採用的是比現在中醫更加高級的一種打通經絡方法，我們在利用種種手段的時候，包括給你發功輸送能量，讓氣在你的經絡裡面運行。你們在這裡多待幾天就會有感受，就不用我這麼來解釋了。關於治病的問題，我回答完全了嗎？」

不眠夜：「道長，我記得你說過你是道醫是吧？道醫究竟是……什麼意思？」

道長：「與現代醫學，或者說西方醫學相比，我們中國人、我們傳統的道家醫學關注的是人的感受，是交流，是『人體醫學』的模式，這個觀點超越了現代醫學，是世界上迄今爲止最先進的醫學模式，因爲它是爲人而設計的。我上午說了，人最大的特點是有智慧，但是現代西方醫學並沒有把我們作爲萬物之靈的人的智慧納入到我們的醫療對象——我們的病人身上去，沒有把病人智慧化。所以西方醫學只是生物醫學，而不是人體醫學。西醫在給人動手術的時候，並不會考慮病人有沒有恐懼、是不是膽小，他（她）心裡會怎麼想？不會的，他們分工明確，誰都不管，打了麻藥就拉到手術台上去，拿刀子開刀。他們都忘了，我，作爲一個人，與草木鳥獸相比，最大的區別就是我有智慧、有想法、有感情。這是我們道家醫學與西方醫學根本上的不同。」

胖子：「道家醫學一直是這麼認爲的？」

道長：「我們中國古人一直就是這樣的，道家以人爲本的人體醫學模式，在四千多年前的中國，就爲道文化所擁有了。我們的人體醫學模式考慮到了人的精、氣、神，屬於人的三個意識形態，就像後來被逐漸發現的意識、潛意識、原意識。」

不眠夜：「西醫這麼落後啊？」

道長：「不能夠這麼武斷地說。各自發展的道路不同。但是顯然，西方醫學有著比我們更大的誤解。現代醫學的巨大進步，首先是透過顯微鏡發現了細胞的領域；然後是現在，進入了一個能量的領域，透過能量來描述生命狀況是現代醫學的一個新趨勢；還有是從基因運算式來描述人體的疾病。西方醫學不斷地在進步，近期基因科學的發展又帶給他們恐慌，這個恐慌是他們以前沒有經歷過的：比方說一個人生病，通常會認爲是因爲勞累啊、著涼啊等等外因而導致生病，但是從他們鑽研出來的基因運算式來講，你現在生病其實不是因爲生活不節制，也不是因爲勞累什麼所導致的，你的病早在你出生前的基因結構上就決定了。」

我：「這有點像我們說的『命中注定』，命運什麼的。」

道長：「是，我們講因緣。另外的能量運算式說，你生病也不是今天形成的狀態，而是能量失衡。你體內的能量產生了量變和質變的轉換，長期量變的積累，就產生了質變。這也和我們剛才說的中國傳統認知接近。這些在以往西方人認爲堅不可摧的事實，正因爲他們自身科學的進步而發生轉變，開始動搖。東方的文化因爲西方科學的發展和進步，而開始影響西方……」

16
「知識」就是力量？

人的身體、思維的慣性力量之大，真是不可低估！剛剛還聽得兩眼發直、雙耳豎立的，道長離開還不到十分鐘，就頃刻開始全盤懷疑：給身體送氣？疏通經絡？二十一天不吃東西辟穀？什麼跟什麼啊？大家都白學文化了？美國人的真金白銀、科學精神，都是為了證明中國古老的文化？

我：「大部分中國人不太清楚自己文化的偉大，可能就是像道長你說的，是魚兒時刻生活在水裡面，反而不知道水有多深了……」

不眠夜：「這個偉大文化的形成……應該從老子、莊子開始算起吧？」

胖子：「那不對，老子、孔子、莊子才兩千多年，道長說道文化形成已經有四千七百多年了？」

道長笑：「老子並不是道文化的開創者，而是『道家思想的集大成者』，相當於我們學習了一定的程度，要集大成地反映它了，並不是說我們就是我們所學知識的開創者。中國的哲學，道家叫黃老道家，黃帝，就是在四千多年前開創了中國的道家文化。」

不眠夜：「這些到現在也沒有確切的考證。這只是中國人的一個說法，也許確有其事，也許就是一個傳說，基本上沒有準確文字記載的說法。」

道長：「我願意這樣去理解，首先第一，考證學是什麼呢？就像前段時間馬王堆又出土了文物，依據出土的文物，歷史馬上又往前推進了多少多少年；隔段時間，三星堆又新發現了什麼，又把中國的歷史往前推進了多少多少年。但是如果一直沒有出土什麼、沒有發掘發現什麼，是不是我們從前的某段歷史就意味著不存在呢？所以我們的考證學，是不斷地依靠挖掘來發現過去歷史的。」

不眠夜：「如果連挖掘的證明都沒有，歷史不就憑空、隨意想了嗎？」

道長：「還有其他途徑。我們目前經考證而來的歷史，並不就是全部的歷史，因爲『考證』本身受到目前科學發展的侷限。西安的兵馬俑，旁邊據說就是秦始皇的墓。我們已經發現他的墓，但是不敢去打開。所有的史學家都知道，一旦我們打開，對中國歷史的推進又會往前很多年，但是我們的技術無法保護它，很可能一旦打開，反而馬上就毀了。所以我認爲我們現在『考證』出來的歷史，是我們現在和以後正在不斷去證明和認識的東西。」

我：「道長，那老子和道文化的關係呢？」

道長：「老子是當時周朝的史官，相當於我們現在的國家圖書館館長，因爲他讀了很多書，所以集大成地寫出了《道德經》。」

不眠夜：「那時有很多書嗎？老子那時候也沒有印刷術，書也多不到哪裡去啊……」

道長：「中國的文化，在老子那個時代已經有很多很多的書了，很多與道相關的書，只不過第一，大多數沒有辦法保留到今天；第二，不是印刷的，是手寫的書，一本書的數量比我們現在要大得多！依照同時期的記載，那時候的藏書也有上萬卷啊……」

不眠夜：「那時上萬卷的書……和現在不是一個概念，一被印刷，沒有幾本……」

道長：「那時上萬卷的書和我們現在的書比較起來，文字會比較少，資訊卻一點都不少。我們現在看《道德經》、《論語》，才多少個字？中國的古典文字不得了，那時候短短的幾十個字，如果用現在的語言來表達的話，就會有很厚的一本書，甚至是一疊書。像《道德經》裡的『曲則全』三個字，包含了多少的人生哲理、自然智慧？這三個字很多人要經歷一生的時間才能明白，否則人生就不會有那麼多的不成功。這三個字的涵義在今天來表達，無論是哲學論著還是文學作品，都會有幾十萬字。中國的道家文化極其璀璨，但是知道的人並不多。『知道不知道』？想想這個『道』指的是什麼？」

胖子：「你說的對，現在書店裡大部分的書，很多都是廢話，或者是在重複一句廢話。」

道長笑：「這個世界很公平，以前是資訊承載的工具有問題，但是訊息很精鍊；現在是資訊傳輸很方便，但是訊息很囉唆……」

道長戛然而止：「我們的這頓午飯是不是可以結束了？」

不眠夜：「飯可以結束，但是話題還不能夠結束，一點都不囉唆，還不夠用……」

道長笑：「聽你說『可以結束吃飯了』，眞是一個喜訊！我們的話題就是說上三個月也是說不完的，中國文化有五千年的歷史啊，你們還是先去練睡功吧……」

不眠夜：「別，道長，再聊一會兒！我不是要來辟穀的嗎？我現在都敢這麼吃飯了，睡功晚些練更沒事，有你呢，我完全放心了！你說……」

道長這次沒有跟著說，而是把我們留在院子草地上，自己去修煉了。不過他答應我們，練完功就回來。

* * *

人的身體、思維的慣性力量之大，眞是不可低估！剛剛還聽得兩眼發直、雙耳豎立的，道長離開還不到十分鐘，就頃刻開始全盤懷疑：給身體送氣？疏通經絡？二十一天不吃東西辟穀？什麼跟什麼啊？大家都白學文化了？美國人的眞金白銀、科學精神，都是爲了證明中國古老的文化？

此刻，我感覺到了知識是有力量的，已經牢牢地把我們的認知，我們的習慣，我們的思路，鎖定在一個範圍之內。突圍是很艱難的，因爲首先難的是要「想突圍」，我們都沒有想過我們要自由，那自由的到來是一件可怕的事情！我們已經習慣了在「知識之牆」內的依靠與安全，即使打開了通道，我們還是在多少代人努力的「鎖定」裡面遲疑著，不敢痛快地走出來。

自然，比知識要有魅力多的是文化。但是，魚兒在水裡啊，雖然從來沒有離開過水，但是，怎麼指證水具備、伴隨的文化，比「在水裡可以活下去」的知識還要本質和致命呢？

我要瘋了……思維在有限的大腦裡面翻騰……我比我自以爲的要頑固得多了！

在道長練功的時候，我一直呆呆地躺在小院的草地上。藍天懸浮在上，以它億億萬年不變的姿態俯瞰著渺小的我。很小的時候我問過爸爸，天空從來就是有的嗎？它是在看我嗎？我是從哪來的呢？每天都一樣這樣已經過了多少天了？人死了就什麼也沒有了嗎？我還沒有的時候，世界就是這樣了嗎？……

我感覺到陽光下，我渺小得像一粒浮塵。

世界很大，人太小了。美國電影《MIB星際戰警》，講述外星人要襲擊地球，就是爲了爭奪「銀河系」。銀河系找到了，在影片的結尾，美國人做了一個巨大的長鏡頭：鏡頭從紐約曼哈頓的海灣拉開，經過美國，拉出美洲版圖，拉出地球，拉出銀河系、太陽系、宇宙……然後是一粒非常平常的、地球人玩的高爾夫球一般的小球，一切盡在小球中，而這粒小球正與其他幾粒長得一樣的小球被一隻細長的「手」一般的東西隨意挑揀著，玩一種類似人類愛玩的球的遊戲……

這是美國人的幻想電影。但是生命是什麼呢？人能夠眞正知道的是什麼呢？地球是什麼？只有一年四季？我們相信世界只有五顏六色？人只有七情六欲？有著五官、四肢的人，努力利用我們自己發明出來的科學，眞的已經足夠解釋我們自己和我們的世界？微小與宏大又是什麼呢？

我肯定沒有力量思考恐怖的宏觀與微觀，但是我得用我的小腦子想一想我有限的一生是什麼，雖然可能一億年都是某粒小球中「一微微」都不是的什麼，但是對於我，我的有限是無限，我的感知是世界的全部。反過來，一切的無限都是我一生的有限，宇宙的全部都只是我的感知。我有限的一生怎麼對待？生命意味著什麼？

我TMD得認眞地想一想了……

17
又是靈魂

道長：「你們老是問靈魂。這個話題讓人感興趣，實際上是人人都想知道自己的來路和去處。這個問題也確實困擾了很多人：我們從哪裡來，又將回到哪裡去……」

「是的。」我承認。

不眠夜：「有靈魂是不是就有轉世？」

17 又是靈魂

中午之後，白衣女子來告訴我們道長在二樓的小茶座等我們。

在我從草地到二樓茶座的路途中，我想起五、六歲時遇到的一件事。請允許我在這裡說一說我當時想到的，雖然在現在說起來似乎有點八卦。

那時我住在杭州的山區，幽遠，寧靜，腳下的土地是幾百年前宋城的遺址。我們小孩只要堅持用吃完冰棍的小棒棒刨挖黑泥地，常常會挖出一些奇怪的東西。我就挖出過若干個食指大小的小瓷瓶。我們的住房是連排的木屋，最後兩排的木屋幾乎連接了山體。在距離整個居住區不到一公里的山林裡，有大片無名的墳地。說這些只是爲了表明：我童年生長環境的古樸、自然，一些奇異的事情更有發生的依據。

後排木屋的鄰居裡面有兩家相鄰的老太太，相伴了大半輩子，也吵了大半輩子，這家倒水是不是流到那家門前了，他們的雞是不是跑到那個院子裡去吃菜了……一切的瑣事都會引起在今天看來非常可愛的爭吵。那一天又爲什麼事吵架了，闖了大禍：其中一位老太太因爲生氣而突然死亡。去世的是一個安徽老太太，當晚，她的鄰居山東老太太就病倒了，半夜開始說胡話，居然完全是去世安徽老太太的口音和語氣，說的胡話全部都是罵人和指責，數落著自己——病倒的山東老太太的種種「罪行」。大家都說山東老太太魂附體了，用死人的聲音罵自己。兩家人都在屋子裡面，又解釋又勸導，無效。直到請來了山上廟裡的一個大和尚。大和尚牽來了一條大黃狗。大和尚哇啦哇啦念經，然後大黃狗沖著一只櫃子底下狂吠。老太太似乎睡著了，終於不再用安徽話罵人。周圍的人都說「那個死人的魂就在櫃子底下……」，之後的記憶就模糊了。從此我認爲人的靈魂是一個紐扣一般可以滾藏到櫃子底下去的小東西……

＊　＊　＊

道長坐在咕嚕冒熱氣的茶桌邊弄茶。不眠夜和胖子已經在了，不眠夜還在纏著道長談論糖尿病的歷史和當今，神色暢然，像在說著別人的事情。茶香裊裊。

我：「不眠夜，我想問問道長靈魂的事情行不行，道長？」

道長笑：「又是靈魂？」

我講了我小時候遭遇的那件事。

胖子與不眠夜：「這樣的事情很多……」也講了他們見過的、聽過的事。不過確實，如果不是自己的親身經歷，聽著都相當的八卦，相當的「迷信」。

道長：「你們老是問靈魂。這個話題讓人感興趣，實際上是人人都想知道自己的來路和去處。這個問題也確實困擾了很多人：我們從哪裡來，又將回到哪裡去……」

「是的。」我承認。

如果真的沒有靈魂，人生將是一個多麼匆忙、脆薄得讓人恐慌的薄膜……

道長：「我昨天已經講過，在修行過程中能夠體驗到生命在各個層面的存在形式中『靈』、『魂』的意義，這都是必須經過修行才能真正了解的。」

不眠夜：「有靈魂是不是就有轉世？」

道長：「轉世的是因緣。用莊子的話說就是『指窮於爲薪，火傳也，不知其盡矣』。科學終有一天會證明，人生的展開和結束其實是一種因緣的輪迴和安排。」

「如果有轉世，」不眠夜虔誠地指著自己：「我還是我嗎？」

道長：「問題就在這裡，很多人太把肉身當成『我』了，都以爲『我就是我』，其實『我』是由無量因緣和合而成，一分鐘都不能獨立於天地萬物之外。肉身的我不是『眞我』，離了肉身的『我』卻又無法找到『眞我』！」

我：「那也不能說這個身體就不是我啊。難道我依靠我的感覺來感受的時候，我還不是我嗎？」

道長：「確實你不完全是你。」

不眠夜：「這太玄了吧，道長，我有意識，有感覺，我雖然渺小，但是我確實是依靠這個微不足道的自我意識存在著的，怎麼能說我不是我呢？」

我：「是啊，如果說我不存在了，死亡了，這個世界也就不存在了，我怎麼不是我？」

道長：「當你知道你是無量的時候，當你了解死亡的時候，你就不僅僅是你，生命也不是這麼孤立的……」

不眠夜：「難道我們的生命也像是一架機器上的小小螺絲釘嗎？一個整體上面的微小零件？原子？」

道長非常認眞：「你說的不全對，但是，你應該是由原子構成的吧？你生命——身體裡面的原子，怎麼知道有一個你存在呢？原子小到什麼程度呢？它如果從你的身體跑出來，你都沒有任何感覺，它也沒有什麼感覺，因爲它太小了；你的身體需要依靠多少原子的堆積，然後才形成爲一個你？是你爲了它們而存在，還是它們爲了你而存在？」

不眠夜急迫：「這是兩回事，道長……」

道長：「對原子而言，肝臟的原子和肺的原子是如此相似，它怎麼能夠感覺到它們在這裡的堆積形成了肝臟，而在那裡的堆積又形成了肺呢？從大的宇宙來講，我們連地球都一時難以找到，更難以找到一個小小的我，那麼我眞的是一個完整的我、而不是一個小原子嗎？一個原子的游移或者死亡能夠代表眞正的死亡嗎？我說的這是一回事，科學，原子，都是代用名詞；我想說明的是，我並不完全是我，你也並不完全是你。我們科學的發展必將會在某一個時刻證實這一點，而用道文化的觀點來說，我們要逼近生命的根本。」

我：「有沒有具體一些的描述呢？生命的根本是什麼？」

道長：「逼近生命的根本，也是逼向生命的光明。生命的光明就是生命對自己的整體覺悟。每一次人類文明的躍遷，都是整體覺悟過程中的一個環節；每一次所謂文明的掘進，實際上都是對『我是誰』回答得更接近。我們不要把這個問題看得很複雜，人類所有的文明和所有的宗教都是在試圖回答這個問題：我是誰。」

胖子一直沉默。

道長：「看我們現在到處都是的高樓大廈，如果不是爲了服務人，它不會存在；還有現在滿大街的桑拿、按摩等等我們能夠看到、感受到的東西，都是因爲人的需要，它們出現了，服務於人了。每一個人的狀態是不一樣的，在人的自我認定過程中，我們認定到了什麼程度，社會的服務、體現立刻就會轉變。這是一個舉例，我們的世界會根據人的需求而馬上發生變化，城市是一個例證，城市所有的變化都是圍繞著人在轉的，而人是在覺悟自己的過程中變化的。所以你說怎麼不是一回事？原子的發現，還有像基因技術、科學技術，這些僅僅只代表科學嗎？其實還是在從根本上去認識生命。我們的文明就是圍繞我們的認識來發展和轉動的，一個文明延續得有多長，就是看它對『我是誰』覺悟得有多深。」

沉默。產生不了對話！

道長：「一個文明的存在或者滅亡，與支撐這個文明的文化是直接相關的。什麼是文化呢？文化其實就是我們對於生命本質理解的描述。而最早、最樸素的對生命的本質理解，往往就是宗教。一個文化之所以能夠延續，或者很快消殞，就是在於它對生命本質的正確理解。有很多人都建立了自己的學說，像哲學，但是能夠被我們後來的人、被歷史記住的只是其中很小的一部分，更多的哲學和哲學家消殞了，因爲我們發現世界不是他們解釋的那樣，我們發現了更多的東西和現象，那麼那些哲學家就必須要消殞，他們的文化也就消殞了。」

我：「消殞的，是因爲他們沒有回答出來我是誰？」

道長：「這是任何一個文明從最根本的立足處都要回答、回應的一個題目。我是誰？生命和宇宙的本質是什麼？誰能夠眞正地、根本地理解到生命，理解到這個問題的答案，誰就能夠成爲文明得以延續、得以發展的根本動力。如果說他只能有一個階段的認識，就會使得這個文明只有一個階段的發展。這個階段之後，這個文明肯定就適應不了了，這個文明就隕落了，代之而來一個新的文明體系來解說生命，而在一段時間之後，新的文明又陳舊了，又會消亡。」

我：「有可能有哪一個階段的文明能夠解答這個巨大問題嗎？」

道長：「東方文明。」

18
我是誰？

我就像不眠夜糾纏治療他的糖尿病一樣，死死糾纏著我的問題：

「那麼即使在我們這個二十一世紀證明了人是有靈魂的，也還是回答不了我是誰，我為什麼會在這個世界出現？」

不眠夜不服：「這個認識是不是有點狹隘？我認爲所有人類的努力成果都屬於全人類，雖然我也爲我們的民族文化自豪，但是近幾百年來，西方科學的發展也不可忽略啊。」

胖子笑：「那你爲什麼不打胰島素？」

不眠夜：「唉！哥們兒也確實很矛盾……挺迷茫……」

道長：「在全世界所有的文明中，只有中華文明是唯一沒有斷代的文明，這是全世界公認的。」

不眠夜：「文明進程的緩慢，也會保持原有文明的不斷代……」

道長：「不是。任何一個文明，都要有一個文化的支撐，才能夠得到延續，否則就會隕滅、消失。世界上目前其他的文明都不是由一個文明延續下來的，像西方基督文明的出現，就是對於他們當時、直到現在文明的一個支撐。而基督以前的文明不是這樣的。中國是唯一古老文明到今天文明的延續，其他的文明都斷了代了。」

不眠夜：「道長，你允許我矯情一下：不發展，不發達，就是延續已有嘛。」

道長：「不是。傳統文明到今天爲止的始終延續，使得這個文明、文化的根本是始終一樣的。比如說易學，從古代到今天，中國人解釋生命萬物的還是《易經》。《易經》是在伏羲時發現的，伏羲據今已經有五千多年將近六千年了，伏羲畫八卦，所用的文字、符號和思想，解釋了宇宙的文化體系，這個觀點和角度至今不變。這就是沒有斷代的文化，它支撐的是文明。」

我：「這樣說的話，西方文明的發展似乎毫無必要了？」

道長：「西方先進科學的逐步發展，與中國文明從最本質理解生命，正好是倒過來的。中國文明在很遠古的時候已經達到了文明的最高端了，從那個時候開始——在幾千年之前，它就在苦苦地等待西方文明的發展，等了幾千年。」

我從來沒有聽到過這樣的文化對比。

道長：「這就是道的本身。爲什麼我們東方的文明就達到了這個高度？因爲東方文明在最開始的時候、在幾千年之前，就建立了一個認知這個宇宙的公式。這是五千多年之後的愛因斯坦畢盡一生都沒有求到的公式。」

也許大部分人都知道愛因斯坦的無奈和遺憾，但是我確實不知道，我很無知：「愛因斯坦畢盡一生想求的是什麼公式？」

道長：「他想建立一個統一場的理論體系，但是沒有建立起來。而中國人在五千多年以前就建立了這個宇宙的恆式，這個恆式被當今一個偉大的科學家、英國的一個院士、專門研究中國文化的李約瑟，稱爲是萬有概念的寶庫。這個恆式就是我們中國的易學，八八六十四卦。這個宇宙的恆式，從幾千年到現在，已經不是僅僅我們中國人自己在研究了，現在眞正深入研究的人已經是西方人。我們已經進入了電腦時代，所有透過《易經》發展出來的東西，像二進位制，像電腦，都是經由他們的研究之後，再進入了中國。還有我們這個時代中核心的雙螺旋結構。《易經》的方式就是陰陽的疊加，是兩個和兩個，然後又是兩個和兩個，這樣的恆式出現。」

我：「西方的文明發展，率先在航太、航空領域中用最現代的科學手段，知道地球在我們所知的宇宙中的位置，對宇宙有了新的了解；透過數學的幾何原理求證到了地球與太陽之間的距離，我覺得這是很具體的對於我們生命體與宇宙之間關係的解釋和認識，但這是當今做出來的……」

道長：「什麼是東方文明？什麼是西方文明？東方文明在很早的時候就已經達到了最輝煌的高度，而西方文明只有等到今天的發展，才能夠解釋東方文明的觀點和認識。也許你們還不認同，我們在幾千年前知道了有天眼通，就是千里眼，但是要等到現在這個時代發明了衛星，我們才眞正普及和使用天眼通；我們的古書裡面早有描繪順風耳，但是也要等到今天科技的發達，才能夠出現電話，出現手機；我們在幾千年前就知道水裡有生命，但是沒有用，要等到這個時代出現了顯微鏡，才能證實我們所掌握的知識以及我們對生命的理解；我們幾千年以前已經發現了經絡系統，但是也沒有用，也要等到當今科學發明了紅外線攝影系統和聲納接收系統，然後才能夠證明人體經絡的存在和重要。或許這就是東、西方文明的不同，以不同的路徑，到達了相同的目的。」

我：「那麼，我是誰呢？你說每個文明都要回答這個問題，中國的道教是支撐文明延續的一種文化吧，它應該解釋了我是誰。你曾經說過，這個我，是道在證道的一個證明……」

道長：「生命體和宇宙原本就是一個東西，天人合一根本就來源於天人本一；如果天人不是本一，永遠就不能夠合一。」

我：「如果是本一，我們看到的這個外界又是什麼？」

道長：「這個問題是最不好回答的問題。本來是應該透過一套實證的體系來回答的。到底生命的本質是什麼？我們看到了很多的生生死死，那我們看到的這些都是眞實的現象嗎？比方說我們親眼看到了太陽從東邊升起，從西邊落下，那我們看到的這個『眞相』是眞實的嗎？你這個問題就是我們這個文明要在這個時代解決的問題。」

我：「還是不同的，我們談論人的生死現象，並不像太陽從東邊升起從西邊落下一樣的。因爲太陽每天都在升起落下，而人一死，就再也不會生著回來。」

道長：「是嗎？你怎麼知道人的生命不是這樣呢？你怎麼知道人不是像太陽一樣一升一落的輪迴呢？當然，輪迴又是另一個問題了。我們先談論現象和眞相。」

我：「是，我們天天看到太陽從東邊升起、西邊落下只是一個現象，眞相是太陽相對來說從來沒有動過……」

道長：「是啊，現在我們都知道了這個現象是假相，因爲天文學早就已經證明了太陽從來就沒有這樣運動過，實際上是地球在動，是地球圍繞著太陽自轉和公轉，產生了太陽升起和落下的錯覺。這個眞實與我們肉眼親眼看見的眞實是完全不一樣的。」

胖子：「是，我們太過渺小，感覺不到我們的地球實際在以一種並不緩慢的速度轉動。」

道長：「我們只能夠感覺到我們看到了太陽像在畫圓弧一般的從東邊升起西邊落下。在中國的古代就出現了一個人，說其實太陽並沒有圍著地球轉。他這樣說了，但是沒有人會相信他的說法，說了幾千年都沒有用，因爲我們確實看到的是太陽在動。一定要等到機緣的某一天，等到有了天文的觀察，這時我們才能夠相信，原來這個人一直堅持的是對的，他說的確實是眞相。生命現象也是一樣，一定要等待一個契機，我用這種方式來類比說明，我們看待一個人的生、一個人的死，我們這樣看了上萬年，沒有什麼可以證實我們看到的不是眞的，而是一個假相。要證實假相，一定得等待一個契機。你們反覆和我討論的靈魂問題，就算我盡心盡力解答了，你們眞的能夠相信嗎？你們相信的是科學的回答。那麼關於靈魂的奧祕被人們徹底了解，就將在這個世紀。道文化揭示的所有奧祕，也將在這個世紀中一一得到證明。這就是我說的我們現在這個時代的一個偉大契機。歷史很快就將證明。」

不眠夜：「有點玄了吧？我們的話題？你就這麼肯定？」

道長：「你們完全可以用慣性的思維來懷疑我說的一切，但是你們注意到沒有？二十年前我們走在街上的時候，我們任何一個人都不會想到，僅僅若干年之後滿街會有像現在這麼多的洗浴中心、洗腳按摩、保健按摩；打開電視機，裡面有那麼多數量的廣告都是關於健身的、養身的、減肥的、健美的，人們越來越關注自己的身體……」

我：「這些都是一種商業現象啊，只是一個不同時代的特徵罷了。」

道長：「你說對了一半，這是一個時代的特徵，但是你永遠不要認爲這只是一個商業性的投機。事情的本質一定是透過一個現象，而我說的這個東西，也是一定要透過商業的投機來敘說，敘說一種需求，而這個需求和生命本源相關聯。我剛才說的，正是因爲人們有心裡的動力，才會有需求，有需求就有市場。市場很容易被商人看好，就變成了商業市場，商業市場也會反過來再推動、深化這個市場的需求，然後就會更多的牽動人們的欲望，就是這樣開始的。根本的市場就是需求，人們最根本的需求就是從個體的人的願望，一步一步地向靈性轉化。」

……

我就像不眠夜糾纏治療他的糖尿病一樣，死死糾纏著我的問題：「那麼即使在我們這個二十一世紀證明了人是有靈魂的，也還是回答不了我是誰，我爲什麼會在這個世界出現？」

道長：「有這種可能，但是可以解決生命的問題。」

不眠夜：「健康與長壽的問題？」

道長：「像我們知道的文藝復興，帶給人們的絕不只是人性的解放，人的精神層面的東西，更重要的是那時整個的生產力、生產關係的空前解放。而這次的飛躍會更大。」

不眠夜：「我聽不懂了！」

我也是。

我：「道長，即使你說的是眞的，怎麼證明你現在這樣的認爲不是臆想，而是未來的一個事實？」

19

科學是眞理嗎？

不眠夜這次比較慎重：「以我們認識到的程度來看，是（真理）吧。」

道長：「不是。（道長今天第三次直接否定不眠夜的理性思維）科學不是真理本身，科學只是在不斷地接近真理。」

道長：「就像你們今天來到這裡，我們在這裡討論這些問題並不是一個臆想、一個夢幻，而是一個事實一樣，你們馬上就要體驗更具體的事實，這也是你們從來沒有料想過的。這些在中國從來都不是幻覺，是我們經歷了幾千年的一個實證體系，透過這個實證體系我們能夠證明到這個狀態。就像人的疾病能夠得到改變一樣，我們證明了這個狀態，我們就知道這些都是眞的。我們的文化是充滿希望的文化，如果這個文化不相信還有明天，那麼這個文明的秩序就要大亂，直到毀滅。而文化滅亡了，與這個文化直接相關的生命現象也就滅絕了。」

沉默。喝茶。

道長：「有一句話一直被我們誤解著在使用，就是培根說的『知識就是力量』。這只是培根說的半句話，另外半句話是『懂得一點現在的科學知識，我們就會遠離上帝；懂得更多的科學知識，我們就會發現我們離上帝更近了』。這句話就沒有被翻譯過來。」

不眠夜：「道長，有沒有人問過你，你怎麼證明你的宗教認識與科學的發展是一致的？」不眠夜不好意思地轉過臉，「哥們兒不好意思直接問了……」

道長：「我在德國的時候，德國的醫學專家提過這個問題。我當時被問得愣住了，我經常把今天的科學引入到宗教裡來做一些類比，做一些解釋，但是我當時還是第一次震驚於別人這樣問我，科學對於宗教的證明。宗教是對生命的關愛，而科學僅僅是現在我們能夠做到、認識到的一些事情。科學是眞理嗎？」

不眠夜這次比較愼重：「以我們認識到的程度來看，是（眞理）吧。」

道長：「不是。（道長今天第三次直接否定不眠夜的理性思維）科學不是眞理本身，科學只是在不斷地接近眞理。」

不眠夜：「很難說接近眞理和眞理有怎樣明確的分界……」

道長：「什麼是眞理？科學發展到今天，科學解決了人的煩惱沒有？在現在的社會中，我們的煩惱比唐朝人更多了，還是更少了？」

我：「起碼是一樣多吧，生老病死、歡樂悲傷……」

不眠夜：「比那時候要苦惱！那時候人還有花前月下，飲酒作詩，英雄美人，現在呢？煩惱大多了，手機、電腦，一個也不能少，多少事啊……」

道長：「上古之人要淳樸多了，現在的人要複雜多了。上古之人，人與人的關係要簡單多了，那個時代人的欲望和今天是不能比的。科學已經進步了那麼多，對今天人類內心的幸福感有幫助嗎？人們因爲有了科學而沒有了爭吵？沒有了對立？沒有了冷漠？科學在今天的成就，像你說的，我們日常所用的手機、電視機，這些中的任何一樣如果能夠拿到唐朝、明朝去的話，都是無法想像的！但是科學能夠代替我們人類的眞實生命嗎？你怎麼用科學來解釋文學？文學的創作有科學嗎？人在抒發情感的時候有科學嗎？一個人在暢想未來的時候，科學知道嗎？科學是人類理性生活的全部嗎？人與人的愛是科學可以表達的嗎？人與人的恨是科學可以阻止的嗎？科學發展到了今天，我們的物質生活發生了翻天覆地的變化，但是人與人之間的愛恨情愁是減少了還是增加了？難道只有被科學證明了的，才有存在的價值和可能嗎？這裡面有一個很重要的問題：我們的文明到底是怎麼變化的？

「中國的文明在幾千年以前已經發展到了世界文明的最頂端，不可能再發展了，但是這個文明是一個陰性文明，就像大腦的左腦和右腦的關係。當今的世界科學已經發展到邊緣，因爲任何一類科學的科學家要想有劃時代的進步、要有新建樹，他必須有幾個基本條件：第一，他必須要有人文素養；第二，必須要有哲學的思維；第三，必須要有很深厚的數學功底。最好還能夠兼通物理學和生命科學，然後才能談得上在他的那個學科裡面的追求和發展。現在哪個學科的科學家能夠具有這些基本條件？如果一個學者沒有哲學的思維，沒有人文的素養，沒有數學的頭腦，他只在一個方面鑽鑽弄弄，即使有成績，也是一個很小的成績，只能夠做一些修牆補屋的事情。我們查尋近兩百年來的科學家、物理學家，大都如此。我們能夠說牛頓和愛因斯坦不是哲學家嗎？還是他們不具備數學的頭腦？沒有對生命的關注？他們一切的研究，都是在表達對生命的關注。」

胖子：「那是科學精神的代表人物。」

道長：「中國的道教一直以來體現的是對生命的關懷、關愛，所有的正教都在傳達一種對生命愛和善的關懷。日本的物理學諾貝爾獎獲得者湯川秀樹說過，『近代以來物理學的成就，都是對中國傳統道家思想的回歸。』中國的文明是一個陰性的文明，中國很多年前就知道陰和陽的問題了，知道了波粒二象性，知道了物質和反物質，還有雙螺旋結構這些問題。但是現在的科學是需要一步一步地發展和求證的，從某種角度來說，如果沒有古老的中國文化作參照，現代科學的求證就沒有了方向。這就是爲什麼培根說了這麼一句話：你眞正理解了更多的科學之後，就知道上帝是多麼的重要。我們也因此可以理解愛因斯坦說的那句話：沒有宗教的科學是跛子，沒有科學的宗教是瞎子！」

我們面面相覷。道長的話題早已經遠離了我們為不眠夜求醫治病的話題，但是似乎又有什麼東西連貫其中，讓話題像風箏一樣有依有據地依靠一根細細的線，高高飄揚……

道長：「中國道文化早就說了，宇宙的初生是狀如雞卵、熾熱玄黃；早就講到了萬物是有生於無，而今天我們的科學才發現宇宙是創生於無。中國傳統文化的智慧對於今天的科學和發展具有很強的指導性，就像有人斷言今天的實驗物理是在不斷地證明理論物理，因為實驗物理需要理論物理的指導性。愛因斯坦的發現就是理論物理，但是好多理論物理探討的問題，實驗物理跟不上，比如說理論物理認識了黑洞什麼的，實驗物理跟不上；在微觀物理研究領域，電荷的對稱性表明，每一個粒子都存在一個反粒子：電子的反粒子是正電子，質子的反粒子是反質子……」

我們暈，但是也想聽……

道長：「……假如微觀世界的對稱性也適合於宏觀世界的話，將會存在著由反質子、反中子和正電子構成的反物質。上個世紀三十年代，理論物理學家保羅．狄拉克就提出了反物質的概念，然而至今在浩瀚的宇宙空間中並沒有找到反物質。那麼反物質到哪裡去了？還需要實驗物理來證實。當然還有弦理論、超弦理論、宇宙膨脹、宇宙第一推動力等等很多方面，同樣也需要被實驗物理慢慢地來證明。其實，道文化中關於道與天地萬物關係的論述，對當今天體物理、地球物理的研究有很高的借鑑價值。就像哲學總是遠遠地走在科學前面，哲學的前進，總會引導科學向前走。」

胖子：「所以，道長你用人的左右大腦來比喻兩種文明？」

道長：「現在我們知道人的左半腦、右半腦，一個是想像功能，一個是記憶功能，一個是理性的、邏輯思維狀態，一個是感性的整體感知狀態。腦科學研究已經證實，人左、右腦的溝通配合程度，決定了人的完善程度，溝通配合越好，完美程度就越高。實踐證明，普通人只有在緊急狀態下才能使左右腦很好地溝通，一般情況下左右腦都是相對獨立運作的。而在道文化的丹道修煉中，透過第三眼的能量中心，可以保持左右腦始終處於整合狀態。但這還不過是丹道修煉的過渡境界，中國的東方文明對於宇宙生命最本質的認識，早已經到了最高狀態。但是東方文明是一個陰性的文明，必須要等待西方的文明起來，兩者結合後，才有可能在二十一世紀接近回答出『我是誰』，眞正認識生命。人類文明能夠到達什麼程度，就是揭示我們對生命的覺悟到什麼程度；把生命覺悟到什麼程度，就是把生命證明到了什麼程度。在二十一世紀我們只能覺悟到一部分。在這個世紀要解決的是如何提升我們的生命。還有像癌症腫瘤，包括愛滋病、糖尿病這樣的疾病，都將會在這個世紀被消滅，代之而起的是另外一些複雜病症。常規的疾病已經威脅不了我們了。」

不眠夜哀歎：「道長啊……我擔心的還是一個不先進的病……我太沒面子了……」

道長笑：「你昨天還說我只要解決其中一個病症問題就不應該還在這裡了，怎麼今天你就覺得你的病不高級了？」

不眠夜：「不就是我生命的覺悟提升了嘛……」

20
疾病是一種機會

不眠夜：「疾病是病唄，有什麼別有病，病還能夠是寶啊？」

道長沉吟：「簡單地說，病是一種機會，像人生中的任何一種困難，當我們去應對的時候，都是我們生命面臨挑戰、有可能得到提升的機會。」

胖子：「道長，這個養生中心與你說的這些有關嗎？」

道長：「當然相關，我們養生的目的就是這樣啊。」

我：「但是，這樣做是不是違背了一個自然法則？或者說，你干預了這個本來很自然的現象生命現象。很多人的基因……」

我表達得語無倫次。

道長：「我在德國的時候有一個醫學博士問過我，『道是科學的嗎？』我們剛才已經討論了；第二個問題是，『都說道法自然，你們卻讓人的壽命延長，這不就是違背自然嗎？』和你現在的疑問一樣。」

不眠夜：「道長，回答歸回答，該插手管的也要管，插手管也是一種因緣的體現是吧？」

道長笑：「當時我這樣回答，我說道教講究的確實是道法自然，我們簡單地說就是順其自然，但是什麼是自然？這個我們要明白，並不是我們人現在的壽數就是我們說的自然。我們人類的平均壽命，在每個時代都不一樣。什麼是人應該有的壽命？」

我們期待——

道長：「人屬於脊椎動物，脊椎動物的壽命按照生物學的推論，應該是生長期的五倍。」

胖子：「這麼多？」

道長點頭：「人的壽命就應該是一百五十歲到兩百歲，這是脊椎動物的正常壽命。但是我們人活到沒有？遠遠沒有。人由於對於生命的誤解，由於種種的欲念、名利、七情六欲的不斷滋生、種種因素的干擾，使得我們的壽命不能夠達到自然。所以我們人活到兩百歲，也叫做順其自然，不叫改變自然。」

胖子：「但是大部分人，應該說我們知道的所有人都沒有活到這個壽數，不是已經成爲另一個自然的現實了嗎？還有活到一百五十歲以上的，也從來沒有看見過？是傳說？還是一個類似技術的合成？比如像西方的轉基因什麼的？我用詞不準確啊，只是這個意思，人天然可以活到你說的這個歲數嗎？」

道長笑：「我說的是自然而然的事情。中國人歷來崇尚最天然的東西，崇尚人與萬物合一。天人合一是中國幾千年文化最核心的，但是現在我們只是把天人合一當作一個成語來使用了。」

不眠夜：「道長，我是眞的不知道，你說的這些有多少是未來可能的事實？又有多少只是屬於對未來的幻覺呢？反正也沒人知道……」

道長笑了：「這裡面沒有幻覺。我是透過實證的，但是我無法把我看到的東西、體驗到的、我的功能達到的境界傳給你們。這裡面有無法用語言溝通的東西，但是這是我的一個事實啊。拿語言作比喻，一種語言我能夠說、能夠懂，但是對於從來沒有聽到過這種語言的人來說，他會認爲是我在胡說八道，在亂發一些音騙人，這就講不清了。我不需要幻覺。我需要幻覺幹嘛？」

不眠夜：「但是所有你說的這些，如果結果都能夠達到，那將產生巨大暴利！」

道長：「這個世界所謂的物質、利益、誘惑，對我來說，沒有什麼誘惑，太渺小了。你說的『巨大暴利』，其實就是人人對自己生命和健康的關注。沒有人會拒絕健康，拒絕生命的光明延續，儘管他們可以把養生當作養身來接受……」

我：「道長，你知道人的慣性，從出生開始就一直養成的生活觀點和習慣，就像現在我聽你說的一切都讓我相信、讓我心動，但是可能我回到房間二十分鐘後我就懷疑了——懷疑我自己，更懷疑你說的，這就是習慣的力量。那麼在你這兒經歷了辟穀、經歷了養生的人，一旦離開這裡回到原先的生活，可能又像原先一樣過他們的了……」

道長：「是的，確實有不少人在接受了養生的觀念和諸如辟穀這樣的修行之後，重新回歸世俗的生活方式，或者更加直接，像你說的把這一切看成是賺錢的機會。但是，他們在無形中推動的，還是道文化的觀念。養生也是道，失去的是他們自己在這個過程中更多原本更有價值的機會。」

我：「這樣沒有關係嗎？」

道長：「這裡有一個東西你們忽略了。你們忽略了宇宙的原動力，忽略了社會是怎樣演變和時代是怎樣變化的。」

我們驚愕，商業的暴利推動力與宇宙的原動力……

道長：「醒悟是必然的。二十年前，如果我在街上給人講養生，連來聽的人都沒有；而在今天，他們會表現得猶猶豫豫，反反覆覆。是不是這樣？幾十年前如果有人和你說辟穀，說是爲了你的生命品質、爲了你的健康，但你可能願意去嘗試嗎？而現在，在我接觸的人當中，如果我不給一個身體絕對有問題的人辟穀，他們會有失落感，心裡會有牴觸。這就是儘管現在確實有很多人對於在我這裡的所見所聞所體驗會有猶豫和徬徨，或者產生商業的念頭，但是在二十年前，他們連猶豫和徬徨的可能都沒有。商業的推動也是進步。」

不眠夜：「道長，你眞有信心。我對自己的病都沒有信心……」

道長：「對生命要有信心。很多人認爲這個世界最終可能被諸如疾病、細菌、戰爭這種讓人類毀滅的東西控制，那是他們把我們、把人想得太簡單、太脆弱了。他們沒有想過我們是什麼，疾病又是什麼？」

不眠夜：「疾病是病唄，有什麼別有病，病還能夠是寶啊？」

道長：「疾病是在我們生命中的啊。無論發生什麼，我們都在對生命本質更進一步地逼近。雖然『逼近』會帶來更多道德的危機和生命體異化的危機，人類的危機也由此而更重。但是，這些又將帶給我們新的光明。」

不眠夜：「道長，你說的太玄了。你就說，病是什麼？」

道長沉吟：「不是所有問題都能夠用一句話說清楚的。簡單地說，病是一種機會，像人生中的任何一種困難，當我們去應對的時候，都是我們生命面臨挑戰、有可能得到提升的機會。」

不眠夜：「道長，雖然我覺得我完全要依靠你了，我也已經重新大吃大喝了，這起碼表示了我對你的信任，但是我覺得我還是有權利質疑你說的這些，一開始說的幾十天不吃飯辟穀，現在又說病是一種提升生命品質的機會——是這個意思吧？這太不靠譜了吧？哥們兒要被提升到什麼階層啊？我不願意都不行？難道我就是要這麼成仙嗎？」

笑。

不眠夜抓耳撓腮地更加來勁：「我靠……」，表示他根本的懷疑與無地置放的無可奈何……

道長：「我說的都是經歷道文化經典本身已經實證了的，歷代的祖師已經實證了，我也實證了。可能我說的太簡單了，加上有些東西無法溝通，我知道我們要求證的東西確實是存在的，但是卻推廣不了。你也可以嘗試實證。實證不是一句話，也不是一個簡短的實驗，而是需要花費也許一生的時間、帶著信心修煉的。誰能夠這麼徹底地去修煉？要修煉一個辟穀就這麼辛苦了。我們東方的東西已經做出來了，生命本質的發掘就是存在的，但它就是只能體驗而無法普及啊。不過其中某一些部分，能夠透過今天西方科學的發展和進步，得到普及，像望遠鏡、顯微鏡一樣普及。」

不眠夜：「我現在正在把仙，與你說的疾病提升生命產生聯想……」

道長伸手阻止：「並不是這麼簡單的理解。我們所說的這個仙，或者說超人、新人類的所有能力，我們古人憑藉艱苦的修煉和卓越的才智已經達到了，他們因此就具備了不是一般人的智慧。伏羲是一般人嗎？老子是一般人嗎？不可能有第二個伏羲，第二個老子，他們達到的東西不是所有人能夠感受到的。有些東西是可以等待西方科學技術的發展而普及化，而有些，科學的發展還跟不上，需要的是時間。」

胖子：「現在科學能夠做出解釋的，我們等了好幾千年啊，還要再等幾千年嗎？」

道長：「所以我說我們非常幸運能夠生活在這個時代、這個世紀，而這個是很難解釋清楚的。」

不眠夜：「可以解釋啊，我都馬上就要辟穀實證了！像你現在說的，我們都在盡力理解……」

道長：「不是理解的意思。就算是科學的要求，也不是這樣的。」

不眠夜：「什麼意思？這我理解不了……」

道長：「比如說怎麼來解釋我呢？你們怎麼認爲科學、又怎麼認爲我呢？你們常常用『這個很科學』和『這個不科學』來劃分現象，如果用現在的科學來解釋我們，可能得到的結論就是不科學。在歐洲，在德國，我最早被他們得出的結論就是這個『不科學』啊。我和他們說我們的辟穀，一般像你們這樣沒有任何修煉過的也可以十五天、甚至二十幾天什麼都不吃，而像我們山上一般修煉過的道長，可以幾個月什麼都不吃。我問那些醫學博士，像這樣辟穀的一群人，現在科學怎麼解釋？科學是應該就現象做出相應解釋的啊。如果說現在的科學能夠解釋這些現象，那麼便說明東方的實證是科學的；如果科學不能解釋這些現象，而這些現象又實際存在，那麼該怎麼看待呢？」

我們幾個幾乎都坐在那翻白眼呈思索狀。道長的話很難瞬間聽懂，腦子裡要有好幾個翻譯、資料員忙著伺候，順著道長語言的路徑，到達他語意的目的地。

道長：「我不得不說，現在的這個科學還是低級的。它是在不斷成長、不斷發展中，要趕快提高，要趕快跟上我們。我們從來沒有藐視過科學，只是認爲科學還是一個孩子，一個有前途的孩子。因爲任何一個生命存在的狀況，一定要有一個科學的體系去支撐著它，現在科學的體系還不能夠支撐我們這樣的生命現象，只能夠說現在的科學還很弱小。東方的、我們道文化的某些實證現象是超科學的，我們只能夠等待科學成長，來作出一個解釋。就像……」

不眠夜：「就像我們中國有了經絡，卻一定要等到四千多年之後……有紅外線攝影，才能夠……」

道長笑：「對。那我們可不可以說中國認知了的經絡文化早就超越了科學的發現和理解？你去查看《愛因斯坦全集》第二卷，就能夠看到愛因斯坦當時到了中國說過的一句話，他說的話發人深省。他說：現代的科學得以發展，根植於兩個偉人的發現，一個是希臘人歐幾里得幾何學的體系，一個是透過系統的、系列的實驗，發現事物中的因果關係，這就是實證科學。中國人沒有這兩個發現，這不值得奇怪，而值得奇怪的是中國人把結果做出來了。」

21
因　緣

胖子：「緣分和因緣是一回事吧？因緣是什麼？是命運嗎？」

道長：「因緣其實也就是緣起，因是指因果，緣就是緣分。從大的方面來講，我們都是因緣之法而生的；從小的方面來講，因緣，是我們命定的一個程序。」

不眠夜眨動理性、科學的雙眸：「中國人把結果做出來了嗎？」

道長：「我不知道你們是不是能夠眞正理解我說的話，我們何止把結果做出來了，我們可能把仙都做出來了。」

胖子：「你說的仙，與伏羲、老子這樣的人有關嗎？」

道長：「當然有關啊，還有像呂洞賓、鍾離權，還有很多很多其他的人和現象。經過多年修煉的人，他的生命狀態和大部分的人就是不一樣，對於生命和宇宙的觀察也不一樣了。中國人把愛因斯坦總結的這個結果做在這裡了，就等待西方的科學發展了能夠來解釋，並且能夠普及化。」

不眠夜死守：「那也是科學的發展，並不能夠完全證明是對我們道文化的解釋……」

道長：「你們可以對這些質疑，就像說你不相信一個人將要發生什麼樣的變化，但是時間很快就將做出回答。但是即便是科學，不是也在思考什麼是生命的本質？是什麼力量在推動它的運動？生命本質的動力在哪裡？這些與我們幾千年前的思考有什麼差別嗎？」

胖子：「道長，道文化認爲生命的本質是什麼？」

道長：「要了解生命的本質是什麼，不是今天剩餘的時間能夠談論的。但是，終究有一天我們要進入這個境界的討論。今天我只是說在可待的未來必然會發生什麼。給你們講一個眞實故事吧。」

大家來勁。道長的話非常好聽，有醍醐灌頂的效力，但是資訊量太大，聽得吃力，腦子裡的小翻譯累得夠嗆！小資料員也是古今中外地亂跑，還常常跑偏，跑錯了地方，可憐得像小瀋陽穿偏的裙子！一聽有故事了，皆大放鬆，紛紛調整坐姿，以舒服爲標準。

道長：「一天……愛因斯坦被他的朋友從實驗室裡面拽出來，硬拉著去看卓別林的電影。因爲他的朋友覺得愛因斯坦工作太專注了，以至於會發生把墨汁當作水來喝這樣的事情。愛因斯坦從來沒有看過卓別林的電影，他看得津津有味，笑得前仰後合。他很激動，當天晚上就提筆給卓別林寫了一封信，他說：親愛的查理，你的電影讓我感到特別的溫暖清新，你的電影是如此的易懂——那時還是默片，沒有語言，只有透過肢體的表達——每個人都能夠接受，衷心地祝福你，你是一個偉大的人。卓別林是在拍攝另一部影片的現場接到了愛因斯坦的信，他也很激動，作爲一個藝人，他對一個偉大的科學家是非常崇敬的。當天卓別林就給愛因斯坦回了一封信，這封信在世界傳誦。他的信是這樣寫的：親愛的愛因斯坦，接到你的信，我感到無比的榮幸，你的相對論在全世界只有兩個人懂，但是你仍然成爲了全世界最偉大的科學家，這是我最崇敬你的地方。」

我們笑……雖然反應還是慢了點。

道長也笑：「確實是，愛因斯坦最崇拜卓別林的，是他的默片居然能讓全世界每一個人都看得懂；而當時愛因斯坦的相對論公布時，全世界只有兩個人能夠懂。就是說，他的相對論難倒了全世界，除了那兩個人之外，無人能夠明白，沒有人知道這個相對論的價值。只有那兩位著名的數學家，他們看懂了，他們說『這是很有價值的東西』，然後人們才勉強相信了愛因斯坦。而愛因斯坦的相對論，特別是狹義相對論，我們要經過很長的時間，透過天文觀察證實它的存在，才成爲世人普遍承認的東西。但是在今天你如果和人講質能互換，講 $E = mc^2$ 仍然講不通，好像還是不能夠懂。但是，愛因斯坦依然是一個偉大的科學家。」

＊＊＊

之間道長被其他人有急事請走；換茶；瞎聊；上洗手間；找吃的（主要是不眠夜）；站到有訊號的地方接一些、回一些手機簡訊……大約一小時左右，我們重新將道長找回來。

不眠夜：「道長，我們思考了，決定明天再走。我一定要比較清楚地辟穀，我們覺得我們了解得遠遠不夠……」

道長：「明天走就了解夠了？呵呵，將近五千年的實證文化啊……」

不眠夜：「那不可能夠！但是好歹又多了十幾個小時，對吧？」

道長：「你們全都希望辟穀嗎？」

我不知道。這時我還沒有一個明確的意願。

道長指著胖子：「你也應該辟穀。你的血壓、血脂，還有積累在身體裡種種不好的東西，對你的未來都是一個隱患，或者說威脅。但是你們不是很急，隨時都可以，只有你——」道長指著不眠夜，「越快越好。」

不眠夜作思索狀，然後作決斷狀：「我豁出去了，先做一回白老鼠！」

道長笑：「我們從來沒有白老鼠……」

不眠夜指著我們：「我是相對他們而言，他們肯定心裡嘀咕，非看看我是怎麼一回事才行。所以，道長，事實證明我是最信任你的，你可是要罩著我……」馬屁￥￥%%&&*##*&&%%￥￥……笑。

之後：「道長，你們怎麼收費啊？」

道長：「我們不是經營的，也不是商業的，我們……」

不眠夜：「我知道是修行的，但是總該有一個費用什麼的吧……」

道長：「起碼這也算是我們和當前西醫體制的一個差別吧，我們看緣分。」

不眠夜：「我靠！……」感慨萬千狀。但是眞實的。

胖子：「緣分和因緣是一回事吧？你常常提到因緣，但是總被其他的話題岔開了。因緣是什麼？是命運嗎？」

道長：「因緣其實也就是緣起，因是指因果，緣就是緣分。從大的方面來講，我們都是因緣之法而生的，我們今天的世界是通過我們以前的所作所爲兌現出來的，而我們今天的所作所爲又將兌現我們今後的世界，這就是因和果；從小的方面來講，因緣，是我們命定的一個程序。由於人總是從『我』的角度出發看待事物，所以展現的都是因果關係，也就是感覺到自己的人生被因果關係套得牢牢的，這就形成了我們命定的一個程序。」

不眠夜：「道長，我又有疑問了，但是不妨礙我對你的信任，好學生總是愛疑問的，對吧？你說命運是程式？程式是電腦語言啊，古老的道家文化沒有程式這一說啊……」

道長：「至今科技的發展，不斷在對道文化做出印證和闡釋，我們不是一直在講這個嘛。」

我：「什麼叫『命定的程式』？」

我聯想到不久前看過的美國電影《駭客任務》，裡面有命運與程式的科幻關係。

道長：「你們要相信所有人類的幻想都不是憑空而來的。我們對於程式的說法是：通過一定的狀態和條件，形成我們今生的生命、要朝這個方向來展開。這個方面的展開，是由我們的諸多因果關係形成的，由於『因』的不貞，必然『果』遭迂曲。從人們的因果關係出發，就形成了今生我們將要遇到的這個生活模式的程式化表現。因果關係對人的影響不只是我們的講法，哲學上也有很多論證，因果揭示的主要是邏輯關係，所以，物理學及科學各領域研究的因果關係更多一些，涉及的方面已經越來越廣，我們都不再陌生。如果哲學加科學再往深處引發，將探索到的就是生命的因果關係。那是更深層面的因果，比如說前世的『因』怎麼影響後世之『果』。這樣說就有很多人不理解了，還會因爲不理解而不去探究而不相信。你們看——」

22
前世・今生・來世

道長：「但是歷來扶乩是被歸納為迷信一類的。因為確實，這是我們、也是科學沒有辦法解釋的現象。反對的人通常都是沒有經歷過的，經歷過的人都會驚訝於這種不可理解現象的準確，會說『太神奇了』！」

不眠夜：「道長，說點實際情況，怎麼一回事……」

道長輕輕地拍了一下掌。掌合，聲起。

道長：「聽到了嗎？這就是因果的關係，我拍掌，出現聲音；我不拍掌，這個世界可能永遠就沒有現在你們聽到的這個聲音了。」

我：「這個小事件不能夠解釋我要問的問題。」

道長：「都是一樣的道理。」

不眠夜：「確實，道長，這不能證明前世與今生、今生與來世的因果關係，這太簡單了。」

道長：「一樣的道理。只有你拍掌了，才有聲音。因果是一個基本的概念，幾乎成爲人們共識的一種世界觀。因果概念不僅具有宗教性，因果也是一個物理學的概念，哲學也在講因果關係。宗教講因果，並不是要主張因果，而在於如何看破因果，幫助人們了解今世之果與前世之因究竟是什麼關係……」

胖子：「因果在被物理學和哲學解釋的時候，我們都能夠理解，能夠明白，但是你說到前世和今生的因果，我們就很難相信……」

我：「從來沒有人說『我前世……』，從來沒有的東西怎麼讓人相信呢？」

道長：「我們不知道的東西就是沒有嗎？」

不眠夜：「道長，我搞糊塗了，你到底是唯物主義還是唯心主義？是主觀論還是客觀論？」

道長：「這個世界上，這個宇宙，有哪一件事物是沒有原因形成爲現象的？生命不是這個世界的現象嗎？要看我們相信的是什麼，我們認識到的程度是什麼。大部分情況下，我們只能夠相信我們能夠感受到的——這都不準確，應該更爲明確地看到，或者聽到，是不是？」

不眠夜：「道長，你把我們的生命程度搞得很低級……」

道長笑：「你們表達的基本上是這個意思是吧？『從來沒有的東西怎麼讓人相信？』你們剛剛說的，你們相信的是你們能夠認識到的事物，是吧？但是以我們生命目前的感知程度，又能夠眞正認識到什麼呢？」

胖子：「道長，你能不能舉一個例子來說明我們不能夠認識到的？」

道長：「那太多了！民間有一種術叫『扶乩』，你們聽說過沒有？透過扶乩這樣的活動，人們大致能夠知道前世的一些事情。」

不眠夜來了精神。談到能夠知曉前世，他最來勁……

道長：「但是歷來扶乩是被歸納爲迷信一類的。因爲確實，這是我們、也是科學沒有辦法解釋的現象。反對的人通常都是沒有經歷過的，經歷過的人都會驚訝於這種不可理解現象的準確，會說『太神奇了』！」

不眠夜：「道長，說點實際情況，怎麼一回事……」

道長：「這類活動通常能夠說出你們祖輩的姓名、生活的細節、墳墓的位置、你的現狀和未來等等。你可以不相信未來，因爲你還不知道，但是你不可能否定過去，因爲這些是編造不出來的。」

我們面面相覷。我們都沒有經歷過。但是我想起一年前（二〇〇四年）看到的一部美國人拍攝的探索靈魂紀錄片，片中記錄了透過跟蹤拍攝一家越南人尋找二戰期間失蹤的丈夫（父親），顯示靈魂可能存在。整部影片很長，這家人似乎只有沒有文化的老太太相信靈魂，執意要透過一個通靈的中年婦女與丈夫的亡靈通話。被記錄下來的內容是驚人的，不僅我（觀眾）吃驚，片子中老太太的兒子、兒媳，從無可奈何順從老太太的執拗，到陪同、到驚訝地聽到「附體的靈魂」說出許多年前的小事，甚至只有兒子、兒媳兩人知道的生活祕密。他們認眞對待了，最終「亡靈」指正出自己被炸碎的遺骨多年前被埋葬的位置（挖開以後被老太太指認細節，是眞的）……觸目驚心，不可思議！

道長：「……人們都知道因果，只要從『我』出發，能夠感知的這個世界的因果關係比比皆是，可以說導致了一切，無論哪個層面，包括我們生存的環境。比如『少壯不努力，老大徒傷悲』就是一種今世的因果。但是人們感到神祕的、難以置信的是前世的因果，如果我說『前世不努力，今世徒傷悲』呢？人們就不是簡單的懷疑了，大部分人要憤怒了，憤怒的原因還不僅僅因爲認爲『這是欺騙』。但是今世就是前世的因果導致，你們相信的科學會證明的。在科學還沒有辦法到達的神祕領域，在生命這個問題上都是講因果的。道教、佛教、基督教都認爲人的煩惱痛苦是由於因果相循，不僅今世的因果循環，更大的因是在前世。基督教講原罪，與老子《道德經》中『美之爲美斯惡矣，善之爲善斯不善矣』具有相同的意義。也就是說，你一旦從『我』的角度去分別善惡，分別美醜，就會從『我』的角度出發開始選擇，接受『我』認爲好的、美的、善的，拒絕『我』不喜歡的，就開始進入因果相循的喜怒哀樂之中，難以自拔。我們道教重視因果，是從對因果的了解入手，使人們從因果關係假相的束縛中解脫出來。」

我一片混亂：「前世在哪裡啊？靈魂到底存不存在？」

道長：「對於靈魂的學說構成了傳統文化、特別是宗教文化中最主要的一個主幹部分。如果說宗教的文化、現代的文化以及歷代的文化的主流文化之間有一些區別的話，就是對本質認知的區別。」

我：「本質的認知是指生命本質的認知嗎？是靈魂嗎？」

道長：「對。靈魂是一個很大的話題。實際上，我們對宇宙和生命認識到多深，認識到多大的程度，本質上就是對人類的文明、文化的載體能夠延續到多久。我們上午討論過，我們的東方文明、西方文明，還有各種各樣的文明現象，以及人類歷史上出現的文明古國，它們的國運、文化體系能夠持續到多久，從根本上就是對生命和宇宙認識到了多大的程度。宗教不僅是在人類社會的早期，而且將在人類科學的發展和進步的整個過程中繼續延續，並且產生比較大的指導作用。因爲在本質的問題上，宗教的認識可能是延伸最遠的，看得相對眞切，也相對完整。所以也有人把宗教學看成是一種未來學，因爲宗教所揭示的這個世界，現在的科學還無法證實。現代的科學還沒有能力和方法去認識到這麼全面，所以要解釋清楚這個問題比較麻煩。」

胖子：「宗教解釋清楚了？」

道長：「宗教的敘述相對是非常完整的，《聖經》的說法，佛的說法，道的說法，都是經年累月地在講述一個問題。我們以現代的方法、以我們思維的慣勢去認知靈魂究竟是怎麼一回事，目前還是比較費事的。我們是不是聊得太遠了？還是說養生吧？」

幾乎一致：「不遠，道長，靈魂……」

胖子：「以我們思維的慣勢認知靈魂，怎麼樣費事呢？」

23
指向太陽的手指

道長：「當我們的手指指向太陽時，我們的手指是一個工具，很多人卻把這個工具當作太陽了。我們指向太陽的手指怎麼可能會是太陽呢？就像科學是認識真理的途徑，它本身怎麼可能就是真理呢？」

道長：「我們思維的慣勢，是根據我們這個時代的科學對於物理、生物、自然科學、科學的進程了解宇宙的一個方法的依賴，而不是本質。」

我：「比如宇宙……」

道長：「我們道家認爲精、氣、神構成了宇宙的根本，那麼對應到我們的世界，勉強用現在科學的語言，它就是物質、能量和資訊。但是這些東西，用這樣的對應來解釋，從某種意義來說又是一種沒有辦法的辦法，因爲實際上宇宙並不是這個樣子，是因爲我們要說明一個問題，就必須拿一個東西具體的來講。這就是古代宗教人士覺得非常困難的一個地方。當我們的手指指向太陽時，我們的手指是一個工具，很多人卻把這個工具當作太陽了。我們指向太陽的手指怎麼可能會是太陽呢？就像科學是認識眞理的途徑，它本身怎麼可能就是眞理呢？就是這個意思。」

不眠夜不知道去了哪裡，兩個眼珠像飄到了外太空……

胖子：「暫且就按照你比喻的來說吧……」

道長：「好，按照道家認爲精、氣、神構成了宇宙的根本，勉強對應到當今科學的語言是物質、能量、資訊，那麼物質眞的就是精嗎？資訊眞的就是神嗎？氣眞的就是能量嗎？不一定，但是我們沒有辦法，只能這樣來對比、拿這個概念來說。而這樣說了之後，人們自然就會依賴這個概念來反駁我們。我們平時感覺到的世界是個『有』的世界，但是這個世界並不可靠，世界的本相不是這樣的。像我們做夢的時候，可以夢到以後發生的事情，也有夢到我們也許知道、也許自己都不知道的事情；我們現在也知道我們的生命還有很多狀態，我們無形中可以達到生命潛能的開發……」

不眠夜醒神了：「道長，恕我直言，我可以聽信，也可以認爲這是胡說——後半句啊——夢裡的事情？生命潛能的開發？」

道長：「這些超凡的能力在我們身上都有，武松打虎、李廣射石，在遇到危險的一瞬間，我們產生了平常所沒有的爆發力，還有藝術家在創作時產生的『靈感』，意與神會所創造出來的東西，包括化學元素週期表——德米特里．門捷列夫的化學元素週期表是他在夢中產生出來的，你認爲關於夢的胡說，我們叫它靈感，這些生命的爆發力和靈感到底來自什麼地方？還有我們在冥冥中感覺到的命運，命運到底是怎麼回事？」

不眠夜的眼珠又開始做太空遊狀……呵呵，我們也是一樣，沒有這樣連貫地思考過……

道長：「我們的古人，特別是上古中的人，他們的生活非常簡單，於是保存了更多生命中的『迷信』。他們與天地溝通，發現了宇宙的實相。宇宙的實相並不是我們所看到的這個樣子。我們一直認爲人從出生到去世，整個生命就像單程車票一樣，從起點到終點就沒有一個回頭。這種認識，現在已經越來越靠不住了。生命是一個相對的東西，而不是絕對。在我們中國的很多修行中，透過修行的覺知，對靈體的世界進行溝通和對應。很多亞洲國家的民風裡都有這個傳襲。而現在，西方社會終於有人專門研究靈魂學了，作爲一門學科……」

道長的手機響了，他接了一通電話。

道長：「你們看，這通電話是馬來西亞的一個朋友打來的，他說他父親在極其清醒的狀態下把兒女、子孫都召集起來留遺言，因爲他確切地知道他將在哪一天離世，而且在最後的一分鐘都非常清醒。這又是科學不能理解和解釋的事情，剛才發生了：一個人怎麼能夠預言自己將在哪一天離世？」

不眠夜晃動人類小腦袋：「我靠！這確實太神奇了，這個他是怎麼知道的？我還不知道，那我肯定長壽！」

胖子笑：「不知道的多了……」

道長：「這種預知在道教的修行中是非常普遍的。佛教也有。」

不眠夜：「科學眞的還年輕？還沒有探索到這些問題？而不是不值得探索？」

道長：「這也是我們一直面臨、思考的問題，怎樣才能把一些傳統知識與社會上的普遍概念達成溝通。我們知道的世界，和社會上被科學——科學還很年輕——普及了且人們所以爲的世界，至今還不是一回事，而是兩個不同的概念。我們現在講的物質，和中國道教文化上所講到的物質是不一樣的。還有，像道家所講的大，就是形；小，就是精，而且這個精會變，就是『其精甚眞，其中有信』。現在科學研究的物質，研究到夸克❶以下了，也發現物質和反物質。透過科學認知到的能量，是一定要依靠物質存在的，它不能脫離物質而存在，這也是現在西方人對於靈魂的認識，他們認爲如果肉體不在，人的靈魂也就沒有了……認爲能量似乎一定要和物質相依，而不知道能量本身沒有物質的依託也是可以自己存在的。就是說能量可以依靠物質和物質共同存在，也可以擺脫物質獨立地存在。這是一個很重要的概念，能量能夠不依附物質（身體）獨立地存在，我們的道文化是承認的，但是在現代的物理學是不被承認的。在現在的理解中，科學——我只能以它爲比喻了——

簡單地把能量和氣等同了，資訊也是。現在科學的發展還只能這樣來理解，與我們道家所知道、所描繪的是不一樣的。你們是受現代教育長大的，對現代科學技術的了解遠遠超過對宗教、對生命存在狀態的了解。」

不眠夜：「就是宗教認爲有靈魂唄……」

道長：「生命的現象是靈能夠與身體分離、分別存在。《鍾呂傳道集》裡說到胎兒『靈光入體』，表達的就是靈與物質肉體的分離。所以我老是用現代科學來借代，你們不要誤會。太陽在那裡，你手指指向太陽，但是你的手指並不是太陽，手指是指上去讓我們去看太陽的那個方向。我們的社會習慣把我們的手指直接當作太陽，把科學當作眞理了。從某種意義上來講，宗教的認知是從本質上來認知這個世界的，完整地去感受到生命的整體性，而不是只接觸到表面的一個狀態。」

我：「雖然我同意你這樣說，但是現代科學的發展還是很有信服力的。實際上，現代的科學畢竟帶給我們許多的光明和方便，在任何一個領域，沒有科學的發展，我們眞的還會在中世紀的昏暗之中。」

不眠夜：「是，像交通和通訊的發展，如果只是修道而沒有科學的探研，我們可能會在七老八十的時候才相識，然後我們從北京到重慶來拜望你需要幾個月的路程，那樣的話，飛機就是我們

❶夸克，物質組成的基本粒子。夸克非常小，以至於物理學家們把它看成是小到沒有形狀的一個點；夸克很輕，如果把一顆西瓜大的鉛球的質量當成是一個氫原子的質量，那麼最重的夸克質量還不及芝麻粒大小的棉花。

嚮往的神話，電話屬於順風耳之類的夢想……」

我：「還有可能我們艱苦行進幾個月見了面之後，談論的就是對『天上飛』和『順風耳』的期待了，可能會說道家的方向是錯的，因為我們沒有辦法在有限的時間裡變得速度快一點，我們的一生只能夠做幾件事，這是不可思議的。而且人要是被牛車撞斷了肋骨，只能衰竭而死，或者流血而死……」

道長嘿嘿笑起來：「我並沒有排斥現代的科學、醫學的發展和進步給我們帶來的方便和光明，這是不可否認的，我說的是科學還要發展、還要進步。科學也許是朝向眞理的方向，但是它本身並不是眞理；科學的發展和進步一直是在闡釋著我們古老而神祕的東方文化，因為只有透過科學進步這個途徑，才能夠讓人們眞正地了解我們身處、生存的這個世界，而這個世界，我們道家在四千多年前就已經接近它的本相了。如果不是好奇，我們可以共同伴隨科學的進步，用一生的時間來了解科學在這段時間裡能夠做到的努力；但是，你們不是碰到生命的難題了嗎？現代的科學、醫學不是沒有辦法解決這些問題了嗎？所以這個緣分使我們相遇了。我並沒有反對科學、阻撓科學，我希望我們東方文化能夠催生科學更快的發展。」

不眠夜：「我也納悶，一方面我們確實是很相信科學的，另一方面科學也有沒轍的時候，比如對於疾病，對我的糖尿病就沒有什麼有效措施啊，只是拖延時間罷了。」

道長：「現代科學是一個正在緩慢成長的嬰兒，它確實還很弱小，但是很有希望。我們的一生是很短的，我們從出生就習慣依靠現代科學的方法去認識這個世界，但是這個現代科學的方法還很稚嫩，還在不斷地發展，不斷在完善自己的認識，培養自己的能力或者本事。在科學發展的過程中，科學還並不是一個絕對眞理，只是一個相對眞理，是在不斷接近絕對眞理的一個過程。不能把這個過程絕對化。不能把我們現在能夠把它認識到什麼程度，就是什麼程度地絕對化。我們修行的人是跳出了這個層面在思考。」

24
治病從治心開始

不眠夜嘆息一聲總結：「道長，你說了這麼多，我怎麼覺得像什麼都沒有說；但是我們還捨不得走，晚上我們說點具體的行嗎？」

道長笑：「現在就很具體，只是不全面、不深入罷了。治病從治心開始，以後你會明白。」

道長：「幾千年以來，我們分明看見的是太陽天天從東邊升起、西邊落下地圍繞著我們在轉，現在你問任何一個孩子，他都會說是地球圍繞著太陽轉，而在幾百年以前，再大的學問家也不敢貿然這樣回答。科學發展才幾百年，繼續發展一萬年、十萬年之後呢？那時的科學手段可以比我們現在看得更加深切、更加準確，我相信那時人們會了知我們現在的人看不清的、完全不一樣的世界！那個時候你們懷疑的靈魂是否存在，還會是一個問題嗎？」

我們表情未置可否，因爲那還是在未來，誰知道那時……

道長看著我們：「現在科學對腦意識的研究，對資訊傳導與生命語言的研究，以及對『人工生命』、『圖靈測試』等的研究，已經快要走到揭示生命本質奧祕的邊緣……」

胖子：「生命本質的奧祕一定是靈魂嗎？」

我：「一定與靈魂相關吧……」

不眠夜：「我琢磨的是爲什麼道家會比科學知道的多？而且……」

道長：「而且可以說殊途同歸。現代科學和道家實際上並沒有矛盾，關心的都是宇宙和生命的本質，是對相同問題的不同途徑的解答。我們中國古人走的是一條完全不同於西方認知世界的路，是另一種模型。西方文明是陽性文明，東方文明是陰性文明。西方的陽性文明是從外部的求證來試圖理解我們這個世界的，而東方的陰性文明一直是用內求法的方式，一直是朝內走，因爲我們相信一切的答案都在我們的內部裡面，自然本身，就有最完美的答案。所以，西方文明發明的顯微鏡，就類似於我們的透視法；他們的微波訊號傳遞，類似於我們的千里眼；手機，類似於我們的順風耳。我這樣比喻很籠統，說的是這個道理。現代科學的發明，或者說探索到的一個又一個現象，都是以前我們古人內在修行的外在表現，他們代表的是不同求證的途徑。所以我還得說：現代科學的發展是在不斷證明我們曾經證明過了的宇宙生命的實質。」

胖子：「除了經絡、千里眼什麼的，還有什麼例證呢？」

道長：「我們道教的修行人早在幾千年以前，已經透過他們的方式知道了天地是一個狀若雞卵的這麼一個能量團而來的，他們知道的方法是借助他們的修行、他們所看到的這個靈境世界而得出的一個結論，不是憑空想出來的。我們古人的這一套內修的方法，使他們進入了另外一個層面，發現了比我們現在看到更爲眞實的世界。」

不眠夜砸吧一下嘴，顯得相當遺憾的表情：「道長，你說的這些……我有點前不著村後不著店的感覺，像被什麼夾空在那兒。以前的古代文明、修煉什麼的，咱們沒趕上；以後的科學文明，咱們也趕不上了，還是說點兒現在的吧……」

我：「我還是要問緣分。剛剛講了一點又跳開了，只講到因果……」

不眠夜模擬道長：「我們每個人在這個世界上所做的、發生在我們身上的任何事情，都是有因果關係的。我們現代的科學就是透過各種各樣的實驗，來求出事物之間的因果關係……是不是，道長？以後這樣的問題可以讓我這樣的助教來講。」

道長笑：「是這樣，在我們的哲學中，萬事萬物都是有因必有果，有果就必有因。在我們的觀念裡，想要改變自己的結果就必須要改變它的原因。而且，我們說的因果，並不僅僅只包含人的一生，我們說的是三世因果。科學、哲學到目前只能認識到我們當世、現在的因果關係，比如一個人因爲抽菸而得了肺癌，因是抽菸，果是癌症。但是沒有抽菸也同樣得了肺癌的人呢？我們現在的認識方法只能把人放在一個三維的空間去解析，只能從出生到死亡這樣一個空間去解析，科學的方法還不能超越這個階段，我們的基因科學現在也無法超越。」

不眠夜：「不抽菸的人爲什麼同樣得到肺癌呢？很簡單，二手菸啊！」

道長：「我現在的回答，不要直接對應你的提問，我只是從一個大的方向在做解釋。我們對生命的看法，都是因緣之法而生的，我們今天的世界是透過我們以前的所作所爲兌現出來的，而我們今天的所作所爲又將兌現我們今後的世界，這就是我們的三世因果。」

我：「就算我們相信，但是我們這一生是上世的果，還是來世的因呢？」

道長：「都是。生命的全息世界，是眞正的生命世界，我們現在還只是一個表層的世界。道教說有三十六重天，我們可以譬喻爲生命有三十六個層次。爲什麼中國的修行方法不能完全等同現在的科學？爲什麼無法完全的量化？因爲在修行的過程中，每個人修行的程度是不一樣的，比如說你還只在第三個層次，而我在了第六個層次，我看得就比你多了，那麼我們看到的世界便是不一樣的。」

不眠夜：「像我愛聽搖滾樂，你愛聽古典音樂，我們感受到的東西就不會一樣……」

道長：「你說的還是可聽見的喜好的差別，還有一個參照。生命的層次是你修煉的層次進入到了什麼程度，你看到的世界就是怎麼樣的，無可參照，唯有修煉的人自己知道。現代科學的方法只能探討到我們這個現實的三維空間所構成的世界，進不到我們生命的整體時代、生命的全息時代和生命多層次的狀態。進入不了這幾個狀態，我們對生命的認識就有片面性。就像我們看見的冰山，體積已經很大了，是不是？但是冰山更大的體積是在我們不能一眼看到的水下面，我們看見的只是冰山的十分之一或者二十分之一。像我們現在能夠認識到的一些力量，都是一些顯在的力量，我們能夠透過一些儀器測出力量的指標，甚至心、肝、脾的功能，也能夠經由一些資料檢查出一個標準。但是，我們不能夠檢查出我們的潛能有多大。」

不眠夜：「特異功能？」

道長：「不是特異功能。潛能在我們現在，大多數還只能在一種很特殊的情況下表現出來。我剛剛說過，像武松打虎，還有像失火了，或者有猛獸追你，你居然能夠一步跨越平時不敢想像的大壕溝，能夠立即上牆上樹，這是潛力，這個潛力是我們平常狀態無法認識到的，它是巨大的。大到什麼程度呢？大到和宇宙同體的程度。生命的根本狀態就是：一就是一切，一切就是一。」

胖子：「那是眾生一個相，還是一人一個相？」

道長：「具體到你生命個體的表現形式，都是你具體的相。這個相就粘連了很多的因緣，就變成了各種各樣的相。其實就像一個人卻化了很多的裝扮一樣。」

我：「這個世界不是因為各種因緣而越來越複雜了嗎？」

道長：「但是我們的本性是不變的。本性是永久不動的，是合一的。本性是一貫，『相』相當於我們各個事態的心性。」

不眠夜哀歎：「太玄乎……」

道長：「不了解的會認為玄乎。其實很簡單。比方說，我們在一個下雨天出門，看見有人被車撞了，首先身不由己地去看熱鬧，然後心想：哎呀，不知道撞得厲害不厲害，要快送醫院，有沒有人打電話；然後又想：看，下雨天要小心，走路不能著急。這樣的一個過程，按照心理學的分析有三個過程：第一個是兒童時期，這個兒童期是看熱鬧的：怎麼了，是好奇的；第二個是父母心態：受傷了沒有？要快送醫院；第三個是成人心態，開始分析了，下雨天要小心，不要急啊。這三個心態一般人都有，交替出現，這就是西方的心理學分析。在我們看來，這樣分析不是不對，而是非常淺非常淺的。我只是借用這個心理學分析的例子來說明人的化裝過程。人是有很多個我的，但是真正的我就只有一個，這個真正的我在不同的時間，遇到不同的事情，會有不同的心態，這個心態會影響到你的形象和氣質。你心情非常愉快的時候遇見了一個人，和你心情非常煩躁的時候遇到的一個人，你的狀態是完全不一樣的，你給遇見的人留下的印象也是完全不同的。這就是緣分的問題，是緣分和命的關係。」

不眠夜：「為什麼每個人的命會不一樣？」

道長：「實際上每個人的本性都是相通的，都是差不多的，但是因為每個人做了很多的事情，就沾染了很多不同的因緣，這個因緣就是我們常說的相隨心生。這個相，就會把人化裝成這樣，化裝成那樣，有的人就孩子氣了，有的人就老練，成人模樣了。我用這種方法來借代說明，每個人沾染的程度不一樣，但是其本質是一個東西。因為個人的因緣——你個人的人生經歷，當你對應它時，你的心性會不一樣，所以表現出來個體的自我緣分不一樣，個體形成的這一生的路便是不一樣的。」

我：「大多數人都不相信自己有前生和來世。」

道長：「這是因爲人在自己的生命中啊……」

有開門聲，有人出來，笑嘻嘻的與我們打招呼；也有人上樓，路過我們身邊，更多的人是下樓

……窗外天色已暗，黃昏很像黃昏地安寧降臨了……

晚餐的音樂溫柔地唱響。一天又暮了……

不眠夜嘆息一聲總結：「道長，你說了這麼多，我怎麼覺得像什麼都沒有說；但是我們還捨不得走，晚上我們說點具體的行嗎？」

道長笑：「現在就很具體，只是不全面、不深入罷了。治病從治心開始，以後你會明白。」

25
無量壽福

道長：「我們道家常說的『無量壽福』，道破了宇宙中最核心的一層祕密。我們本來就是無量因緣所賜之壽，無量因緣所賜之福，而我們自己不知道，我們自己還每天在自苦，以為活不了多久就要撒手而去了，以為我們的壽命是這麼的短，以為我們的福分是這麼的薄。」

道長：「生命是不死的。我們道家常說的『無量壽福』（已經成為仙友之間的問候語），道破了宇宙中最核心的一層祕密。我們本來就是無量因緣所賜之壽，無量因緣所賜之福，而我們自己不知道，我們自己還每天在自苦，以爲活不了多久就要撒手而去了，以爲我們的壽命是這麼的短，以爲我們的福分是這麼的薄。也許你今天確實是感覺到過得不那麼好，或者因爲對自己現在的處境不滿意而不快樂、不幸福。但是……也許你在唐朝的時候是一個宰相呢？」

不眠夜大嘴：「哈哈，那倒好了！但是怎麼能夠知道這不是在癡心妄想呢？不是在自欺欺人呢？」

道長：「……即使你當時眞的貴爲宰相，但感覺到的也未必就一定是快樂、是幸福。我只是一個比喻。還是我一直在說的，透過修行，我們自己就能夠知道自己原來是怎麼一回事，以後又會是怎麼一回事。道教的修煉就是希望幫助人們實現永久的幸福快樂，認識到生命的本質是怎麼一回事，生命的因果是怎麼一回事。」

＊＊＊

道長：「了解『元神』的存在是了解生命本質的關鍵，科學已經在嘗試、在努力地證明了。我們有同樣的一個生命資源，我們的元神是一樣的，『我的元神』和宇宙的本原是連通的。每個人的元神都是一樣的，但是每個人的命運又都不一樣，這是爲什麼？比如兩個人是兄弟，同出於一個父母，但是一個就可以做局長，而另一個卻只能做職員。是什麼使得他們的命不一樣呢？是因緣。」

道長：「我們每個人的因緣都是無量運動後的一個結果。我們下一次生命是在畜生道，還是在人道，或者是在鬼道，這個結果依據我們這一世的因緣而決定。我們沾惹了塵埃，我們就像是一個糯米糰，在地上一過，大部分人沾的都是灰塵，但是也有的沾的會是芝麻，會有種種奇奇怪怪的沾染，沾的東西不一樣，滾動的面積不一樣，當然結果也是不一樣的。假想我們生命中有很多的洞，你把這些沾染了不同東西、不同品質的糯米糰子如珠走盤地一撒，它就會各進各的洞，沾的東西多的就可能滾動得緩慢一點，沾的少的就會跑得快……」

不眠夜又張開大嘴：「快好呢？還是慢好呢？沾的東西多好呢？還是沾的東西少好呢？」

道長笑：「只有我們人是這樣來衡量好和不好的！這個世界沒有什麼好與不好，只有客觀的在。你說下雨好呢？還是不下雨好？可能對於一個詩人就是下雨好，對於行路的人會覺得下雨不好。久旱了，下雨好；淹大水呢，下雨就不好了。這都是人的判斷，客觀的現象本身沒有好與不好的關係。我是假用這個來說明無量因緣的運動就是你的命。但是這個命，我們對它的修行和轉化，最後都要回到它的性上面去。道家說的是性命雙修，要回到自己生命的本原。當我們能夠回到這個本原的時候，我們已經超越自己的命了。」

我也是有嘴的動物：「道長舉例……」

道長：「我們常常會看到一處的水很渾濁，但是我們修行人不是這樣看的。我們的原話是這樣說的：流雖濁而其源常清，形雖動而其體常靜。我們看一個東西，都希望那個東西能夠回到他的根本。比如說這桌子，是靜止不動的，但是它實際上是在很厲害的運動著；另一個東西它也許正在動，但是它裡面可能是非常靜的。如果你們練過站樁就會有體會，你們分明是站在那兒一動都沒有動，卻是很快滿頭大汗、體內顫抖不已。因爲你們的內在運動得非常厲害，這是你們看不見的，但是你們覺得熱，大汗淋漓，所以說動靜一如。我們看到的渾濁的水，江也好，河也罷，如果我們追逐到其源頭，又有哪一個不是清澈的？宗教看待一切都是從源頭上來看待，這樣能夠看出本體的一致。元神是不變的。而不同的因緣形成了不同的命，將造成各種各樣不同人生的命運，下一世會因此受到影響。」

不眠夜大嘴：「人的下一生還會是人嗎？」

道長：「下一世與下一生是不一樣的，『世』嚴格來說是指過去、現在和未來。我們正說著現在已經變成過去了，說未來馬上就變成現在了。我們的下一世有可能還是人，也有可能是動物，或者是其他什麼東西。我們是不是經常會聽到罵某人是『畜生』嗎？或者罵人是披著人皮的狼嗎？說明這個人可能在這段時間體現畜生性多一些，人性少一些。」

不眠夜大嘴：「這個我同意。人性和動物性、畜生性，有些時候是混著了的，混得厲害！修煉是更加明確地掰開了，是吧？」大家笑。

道長還是延續自己的話題：「雖然轉世了，還會有不同的命運，而不同的命運就是由我們的每一個這一世的各個瞬間連接構成的。我們在這一世（當世）做了什麼，修了什麼（明白了什麼），就決定了下一世的命運。都修什麼呢？無非修了兩樣東西，一樣是修了我們的命——對命的了解，還有一個是修了我們外在的福德——對因緣的了解。我們平時經常在講的功、德，不是一個事情，就像性、命是兩回事一樣。對我們來說一個是修功，一個是修德。我們平時經常聽老人說『做人要積德，做事要積德』，積了德是一個方面，積了功又是另一個方面。這兩個最後還要聚合在一起……」

胖子凝神聽著。

道長：「……我們要認識命運，緣分。」

大嘴我：「怎麼認識？」

道長：「我們可以透過三種方式去認識前生來世：一是透過我們的先人，透過他們認識到這個世界之後留下的理論書籍去認知。這些書有很多，像《道德經》、《鍾呂傳道集》等等，還有像基督教、天主教都有很多自己的書籍，這些書籍會幫助我們去盡量地理解命運和緣分，去認識前生來世；第二是部分的特異功能者，他們自己可以看到、感受到；第三就是我們修行的人，透過修行能夠達到，而修行的方法是任何一個普通人都可以學習的，而且經過一段時間的學習都能夠感受到。」

我們既沒有特異功能，又沒有修行，看來只有去查看先人留下的書了……

道長：「修行人如果是修正途，都能夠感覺到，但是這裡有一個層次、程度的問題。像我們都去讀書，家裡的經濟條件也都一樣，但是只有一部分人能夠讀到大學、研究所、博士，另外一些人只能讀到國中，還有的是小學，也有的是高中。這是相同的道理。」

大嘴我：「這是很神祕的體驗嗎？像基督教所說的『不可言說的言說』？因為這種體驗『我無

法說』，既被你們質疑，也可能被你們相信……除非自己去體驗、去修行？」

道長：「不太一樣。但也有『可言說』與『不可言說』的各自範疇。比如方法是可以言說的，但按著一定的方法，每個人所體驗到的境界是不可言說的，說出來就不是了。更具體地說，道教有成套的程式，我們把這些程式稱爲『法』。基督教是神祕，也有神祕體驗，而道教不是這樣的。更具體的說，道教是一套程式，很像知識，就像去上學一樣，你只要讀書，就可以看懂文字。但是如果我們現在和一群沒有上過學的人說話，跟他們說如果你們上了學，懂了文字和數理，你們就能夠如何如何，你們就都可以使用電腦，但是他們就是不去練，也不去學，那他們可能永遠難以操作電腦，更不用說什麼化學分子式啊，數學方程式啊，物理的原子分子啊這些。如果全世界的人都沒有讀過書的話，我們現在的科學就是在天方夜譚，現在的科學和知識就是『迷信』，你們說是不是？」

我們轉換著這兩個概念……

道長：「那麼我們今天知道的天文、航空、數學、物理、化學有什麼用？都是沒有用的。但是如果有人願意試一試，去讀了書，他就能夠知道科學沒有在胡說，他也是能夠掌握這些東西的，也會使用現在世界上的一切電子設備，會駕馭著『鐵』在天上飛，或者駕馭『一塊鐵』在地上以每小時多少公里的速度奔馳。所以這就像我們的修煉，有明確的修行功法、次第、境界。如果說是一種感應的話，那麼各個宗教都有，道教也有，但是道教更講究的是修行方法。我們道教是修證，是性命雙修。道教修了性以後，他看到了宇宙的實相，他還要有一個修行的層次，這是程序化的，就是透過一個程序去修現。這些程序化的東西，你也可以視爲一種教育的體系，它可以讓人由不懂數學到懂得數學，到成爲數學家，再成爲什麼什麼學家。必須要學，你不學，它就等於不存在。怎麼證明它存在呢？一旦我們進入了學習，我們就能夠看到。」

胖子：「我們現在的普遍教育，一個孩子從什麼都不懂到完成基本學業，一般需要十年。道教的基礎修學需要多少年？」

道長：「十六年。從最早的百日功開始。」

26
元神出竅

不眠夜：「道長，雖然我沒戲了，也請你說慢點，起碼我得懂個道理……什麼意思？練什麼化什麼？」

道長：「練精化氣就是練形，以提煉出氣，這是一種很基本的提升出氣的訓練，你們試一下都會有體會；練氣化神就是為了滋養我們的元神。在這個過程之後，就是練神還虛，然後是練虛合道，就是粉碎虛空，最後要達到一個元神出竅，這時就練成了陽神。」

我們：「什麼百日功？」

道長：「一百天就能夠奠定一個基礎，叫百日功；也叫百日築基，還有一個程序叫『修牆補屋』，就是現在所有來這裡的人在練的功（確實，兩天以來，每天上午、下午、晚上，練功房都有練功的人。我們因為貪圖和道長說話，幾乎沒有去。我們的辟穀開始之後，相關這些功法有詳細的解說），目的是把身體變得健康，這就像一個修牆補屋的過程。」

不眠夜眼珠轉動：「就一百天嗎？一百天還不好說？咬咬牙就過去了，之後呢？我會有什麼功夫？什麼穿牆、隱身之類的，就可以有點意思啦？」

道長：「『百日築基』需要三個月，屬於第一個階段的一百天；第二個階段就是通經絡了，從任、督二脈開始，到十二正經、奇經八脈，逐步達到對全身經絡及氣血之運行瞭若指掌。」

「這也得一百天吧？」不眠夜聽著有點焦慮，看來他是認真的。哪個糖尿病人敢不認真？尤其已經是被醫生判定為這個症狀的？他像對我們，也像是自言自語：「這肯定比頭一個一百天難弄，可能要牽扯到意念什麼的了，哥們什麼都能幹，也什麼都不能幹，就是因為想法太多，思維活躍，很難集中……」（呵呵，不久以後——他辟穀回北京之後，證明他此刻沒有在謙虛，我們練一套站樁，或者「導引術」各需要三十分鐘，他倒是用功，兩套一起練，結果一共加起來沒有二十分鐘……打電話給我們：「哥們兒練半天了，真的所有的都練了，一樣都沒有偷懶，睜開眼睛一看，我靠！居然二十分鐘都沒有過去！」我們問怎麼沒有跟著道長的光碟練？他同樣振振有詞：「跟光碟那太初級！我相當思想集中，什麼都不能聽、不聽不想；聽道長的光碟老是在數音樂的遍數，太慢！」）

道長：「這個過程長短不一，做得比較好的會很快，而一般的是在十年以內……」

「我靠！」不眠夜驚呼。

我們都已經毫無知覺地被不眠夜誤導到了下一個的一百天，完全沒有想到居然是十年！

不眠夜更是作昏倒狀：「通個經絡要十年！完了！我沒戲……」

道長：「眞正的丹道修煉一般需要十年時間，這十年的修煉可以使全身經絡運行達到內徑修眞圖所描述的狀態。丹道通經與氣功的意念通經有先天、後天之別，所以與前些年流行的氣功用意念通經絡是根本不同的。在這十年的過程中，要經過一個練精化氣、練氣化神的過程……」

不眠夜：「道長，雖然我沒戲了，也請你說慢點，起碼我得懂個道理……什麼意思？練什麼化什麼？」

道長：「練精化氣就是練形，以提煉出氣，這是一種很基本的提升出氣的訓練，你們試一下都會有體會；練氣化神就是爲了滋養我們的元神。在這個過程之後，就是練神還虛，然後是練虛合道，就是粉碎虛空，最後要達到一個元神出竅，這時就練成了陽神。」

不眠夜：「什麼玩意兒？元神出竅？」

道長：「我們的元神就可以自由了。當我們的陽神一旦練成，身體就成爲一個可有可無的東西了。」

不眠夜：「我聽說過，但是我的疑慮是，眞的可以這樣？哥們兒以前看到的不是小說？神話？

元神出竅，人不是死了嗎？」

道長：「修煉到這種程度，我們的元神是能夠離體了，但是還走不遠，離開一會兒就要回來；在練成了陽神以後，我們可以不需要肉體，可以獨立存在了，這時才算達到莊子所描述的『無古今』和『不死不生』之境地，可以『獨與天地精神相往來』了。」

27
幸　福

不眠夜：「幸福就是真的幸福啊。」不眠夜笑靨綻放，像夜來香盛開：「比如我賺到錢了，兒子長大了，道長你治好我的病了，而且確定我可以健健康康活到八十歲之後——我的要求不高；我……一切幸福的理由和現狀，那種感覺很真實，很舒服，怎麼會假了呢？就怕沒有幸福。哪怕是稍縱即逝的幸福，那也是真的幸福過了……」

我上上上文說，「一個很像黃昏的黃昏」降臨，因爲只有我小時候的記憶裡面，才有「黃昏」這個美妙時刻的圖景：有回巢的鳥鳴，有輕微的傍晚的風拂面，會讓我想天快黑、風也要回去，有做飯的裊裊炊煙，發爐子、點灶的柴火，煤球煤餅氣味，更有做飯炒菜各家不同的香氣……走得近一點，大人呼喊小孩，鍋鏟碰撞的「嚓嚓」「叮咣」聲……黃昏的安寧籠罩住生活美妙的瑣碎。一天就像一鍋沸騰好久的濃濃的湯，終於慢慢安靜下來……明天再沸騰……

這樣的黃昏在不知不覺中丟失好久了。嘈雜，無奈，不平靜，激動，午夜了還在談生意、談錢……失去了的黃昏也捲走了我們心底悄悄的安寧。越來越狂躁，可能都是起因於失去了一個又一個的黃昏，再加上有可能也同樣在失去的一個又一個安寧祥和的早晨……不由自主地失去了寧靜的愉悅、快樂、健康……生活原本起伏、活潑的節律，被膨脹的種種欲望導致爲混亂。我在縉雲山晚風的重新拂面中，深深呼吸著飯菜的人間煙火味，聽著歸巢的鳥兒嘰喳鳴叫，感覺心就像穿越波濤的小舟，終於輕輕、輕輕放回到碧水蕩漾的岸邊——找到停泊的地方了……

這才是第三天啊……但是，如果辟穀，不吃東西了，還會是這樣人間煙火的美好感覺嗎？不聞人間煙火了啊……正左右琢磨，聽見不眠夜糾纏道長。

不眠夜：「道長，我有個八卦問題，你一定要解答，夫妻也是因爲緣分嗎？不是碰上誰是誰？」

道長笑：「你仔細想想，那是你想碰上誰就是誰的嗎？很多人都是有這種體會的，並不是越相愛就越能夠結爲夫妻，每個人的緣分自己最清楚。」

不眠夜：「那就是命中注定的緣分？人力不可改變？」

胖子：「你¥%#&*@#什麼意思？想否定、想變換嗎？」

不眠夜：「你看，我和道長是在探討問題。你暴露了你不是良性思維（道長一直在強調良性思維，限於篇幅，我一直節制著沒有表現，後文一併講述），我完全是爲了確定這種緣分的必然，然後更加珍惜。既然是命中注定，就像是一年四季一樣，有必然的規律性，那一定要善待，是不是，道長？我比他更能夠領悟你說的道理吧？」

道長嘿嘿笑：「對，你是需要我罩著你的……夫妻當然是緣分，很大的緣分。你想過嗎，爲什麼是你們而不是你們其中一個，與另外的一個人成爲了夫妻呢？」

不眠夜一歪腦袋（他的習慣動作）：「道長，雖然我需要你罩著我，我也要疑問了：這樣說沒有對證，因爲任何一對夫妻都有可能是他和另一個她的結合啊，怎麼證明他和她是唯一的一對呢？沒有被改過呢？」

道長笑：「誰改得了？就是必須是他和她，就是這兩個人，這就是緣分。不是誰和誰都有夫妻的緣分的。你談過戀愛應該知道，愛得深與淺，與能不能夠成爲夫妻是沒有關係的。你可以私下去了解一下。每一對夫妻都會有很多緣分的故事！緣分是命運形成的。緣分也導致命運……」

是的！浪費大家一點時間加塞一點私人感歎：很多事情在日常生活之中倏忽而過，似乎沒有留下什麼印跡，但是在當時像是被提醒著想了起來，確實處處有「緣分」的痕跡，總是一個緣由推動著下一個緣由，一直達到一個出乎意料、卻又是意料之中的目的。請各自加塞回憶，重點是緣分

……

不眠夜：「只有死亡能夠阻撓緣分？」

道長：「……談論問題是很難這樣速食式的，並不是一句話就能夠回答另一句話。但是我說過，生命是不死的，緣分也一樣……」

喜歡這話！當時我第二遍聽到道長這麼說，且不管眞假，這話眞溫暖！如果生命是不死的，多少因爲死亡而生的絕望像陽光中的雲霧，將悄悄散去；如果生命是不死的，是在循環的，那我們這一生就會像是旅行中的一個環節，會一站、一站享受、體驗下去；生命將變得更加鮮活，變得喜氣洋洋，變得像是盛宴，感覺我們在這一世的歡聚。因爲有我們自己也不怎麼知道的、以前的因緣，會聚了因爲緣分而相見了的人，家人、朋友、同學、同事、愛人、戀人……喜事、悲情、無事、樣樣都是可以去感受的風景，人在旅途……

道長：「生命有一個自覺的過程，這個過程需要有因緣來完成。這個因緣使得我們終將明白，我們這一生是因爲什麼來到了這個世界。如果我們願意去認識我們的生命，我們就會走向比較眞實的那個世界。」

胖子：「並不是所有願意明白的人都能夠明白……」

不眠夜：「那些燒香拜佛的人算不算明白？」

＊＊＊

道長：「即使他們不明白，也比什麼也不想知道要好。因爲膜拜也是一種接收。」

不眠夜：「接收什麼？」

道長：「我用科學來講吧。宇宙的波是廣泛地存在的，這個沒有異議吧？」

都表示贊同。科學比道長已經早些普及了我們。

道長：「有沒有想過爲什麼我們現在才用手機？是因爲我們現在才發現波的存在，才有能力利用波的存在。但是並不表示在元朝的時候、唐朝的時候、在更早的幾萬年前，宇宙各種輻射、微波就不存在。波不會因爲有沒有人去接收它而決定存在或不存在，也不會因爲我們還沒有認識到、還沒有辦法去接收，它就暫時不存在。」

不眠夜：「道長，求你別繞了，直接說吧，難道你們不餓嗎？」

笑……

道長：「同樣的道理，如果現在的人不願意悟道，認爲沒有時間自己來體驗，那麼膜拜也是一種接收。『我企求你給我們加持』，就像企求把這個波給我，讓我能夠接收到。而當我們眞的認識到了極限，會知道我們也是波，而且我的波並不比別的波差。尤其在透過修行之後，我知道了原來我也了不起，但是一定要經過這個修行的過程。」

胖子：「練功也是修行吧？」

道長：「修行的一些步驟。我們練功是開發潛能，開發到了最後，我們發現我們的狀態和先人留下的記錄是一樣的。」

不眠夜：「道長，你說得很好，或者說你說的很有希望，讓我們願意好好活，好好接收波，但是，你說的都難以……像你說有神仙——咱們不掰扯道理了，你說的我都記得——我是比喻：你倒是弄個仙來忽隱忽現的給我看看啊，否則怎麼說得清呢？」

我：「是不是再不知道的人，在離開這個世界的時候都會明白？」我想起很多人臨終前不同於以往的言行。

道長：「不一定。我們說的這個『世界』，是一個狹義的世界，還不是多層面的生命世界，像不眠夜說的，他就無法看到仙，呵呵！在多層面的生命世界，你是無量壽福的，人的一生、一世只是一個過程。一個人很有可能至死不悟，但是到了下一步他會悟的，這是有待發展的新科學。」

胖子：「道長，你確實說得很玄。」

不眠夜：「就是啊！那為什麼我們一定要去悟呢？隨他好了，走一步是一步，有什麼可悟的，先把這一世過好了，以後有什麼感覺以後再說……」

道長：「悟是正道，是為了我們的明白和真正的幸福。一個不明白的人，他的轉世會很痛苦。因為他在這世的不明白，他就會做很多不清醒的、不受約束的事情，而這些事情就成為了他今世的因，必將產生以後的果。比方說他會殺生，或者走到了道的相反對立面去，就像不懂事的人去撞火車，一定是要被火車撞飛的！這不是很痛苦嗎？而一個知道的人，一個明白的人，是不會這麼做的。《道德經》裡面『夫物芸芸，各復歸其根，歸根曰靜，是謂復命，復命曰常，知常曰明，不知常，妄作凶』。你不知道生命這個東西，你就會狂妄做凶事。而這個『凶』就產生了新的因緣，有因緣就有結果。反覆循環，很可怕，道理也很簡單。」

我：「如果明白了這一切，就會很幸福？這個幸福是什麼意思？」

道長：「明白了當然會比不明白幸福，這個幸福是終極性的。現在我們人感覺到的幸福是假幸福，任何一點風吹草動就會受干擾。」

不眠夜：「幸福就是眞的幸福啊。」不眠夜笑靨綻放，像夜來香盛開：「比如我賺到錢了，兒子長大了，道長你治好我的病了，而且確定我可以健健康康活到八十歲之後——我的要求不高；我……一切幸福的理由和現狀，那種感覺很眞實，很舒服，怎麼會假了呢？就怕沒有幸福。哪怕是稍縱即逝的幸福，那也是眞的幸福過了……」

道長笑：「是嗎？你只要仔細想想你爲什麼覺得很幸福，你馬上就幸福不起來了。就像你說，一般人感覺自己『幸福』，無非是由於金錢的導致，或者愛情，或者事業的成功，或者自覺身體不錯。但是這些『幸福』有哪一樣是可以長久的？他（她）又喜歡上別人，事業的顚簸甚至垮台，金錢的消散，某次體檢的數據，這些變化是很容易的，一個小變故就可以讓任何的人今非昔比。因此我說，這些事物帶來的幸福都是外在的，一點點變化就可以讓你不但幸福不起來，還可以痛苦到致命。悲傷也是一樣，也很外在，它是你們現在感到幸福的那個原因的另一面。」

不眠夜小聲：「確實。哥們兒本來挺開心的，種種緣分都鋪展得很好，結果醫院的一紙數據就徹底粉碎了我！￥%#￥%#@%……」

道長：「這個世界的特徵就是無常變化的。用世俗的話說，你今天的快樂，在明天可能就是不快樂。因爲在這個宇宙中，最基本的特徵是運動，而不是一成不變。」

不眠夜：「這個道理我們也知道，相當於『勞動改變了人本身』……」

道長很認眞：「並不完全一樣。科學已經作出了證明，無論是電子、原子、離子、分子，哪一樣東西不是運動？宇宙的根本屬性是運動，這在道家的說法叫『無常』。『快樂』、『悲傷』這種東西也是在運動著，而不是停在那裡一動不動的。我寄託在任何一件事情上的幸福都是短暫的幸福，因爲它們在運動……」

短暫的我確實從來沒有這樣想過，快樂，悲傷，幸福，也是運動著的……跑來又會跑去……

道長：「……而道家所說的幸福，和一切都沒有關係，它是對自己生命的明白，是對生命的自我審美，而不是以你外在的好爲好、外在的壞爲壞，這些對我們都沒有影響！我們能夠在生命中體會到因緣賦予我們的美，在各個層面都能體會到。」

不眠夜：「說得眞好！但是最後一句又開始玄了……是我眩，道長，眩暈的眩，呵呵……」

我：「再怎麼幸福也應該還是依附了一些東西的吧？比如說同樣是因緣賦予的朋友、愛情、家庭、事業……」

道長：「道家最終感悟的幸福是修了性的，心變了啊，不再會因爲外在的感覺而快樂了。我們能夠感覺到的是非常純淨的因緣的美麗，而因緣是沒有好與壞之分的，一些我們習慣會認爲壞的事情也有因緣的美在其中。修了性的人會感激、感受因緣本身的美麗，而不會爲事物或本性的外在所喜所悲。」

胖子：「是不是可以用我們看電影作比喻？不明白看電影的人看到喜劇會很開心，看到悲劇會很痛苦，他的哀樂都是根據角色的命運和故事的變化，太入戲了……而如果我們知道只是在看電影，銀幕上的故事不會眞正影響我們走出電影院之後的情緒……」

道長：「是的，你眞正的快樂可能只是因爲你坐在了這個地方，因爲你在看。幸福、快樂，都是對生命之美的一種直接的、發自內心的感受。我們會覺得這個生命原來是如此之美，我們以前居然沒有感覺到！」

不眠夜幾乎抓耳撓腮：「怎麼能夠感覺到，怎麼能夠感覺到……」

道長：「在你們經歷過辟穀之後，就會明確有我說的這種感受。」

不眠夜輪迴到前世的繞毛線：「道長，辟穀眞的不是那些人表演的魔術嗎？我眞的看過一期電視節目最後這麼證實的……還有一個老師辟穀要帶書，大家認爲書頁上有營養……」

胖子笑：「就算書頁上有營養，翻十五天營養書頁什麼都不吃也挺牛！」

道長：「不排除電視節目揭示的現象確實有，但是就像在別的領域一樣，不能因爲有僞的東西，就否認全部。（繞……￥#￥#￥#￥#）但是也確實有人以一生的時間來反對道所展現的眞相，這個對於他自己的生命品質會有很大的影響。如果他有明白的因緣，他就會在這一世明白。生命最終必須要走向明，宇宙就是明，這是一條大路。」

我：「道長，你接著說感受到生命之美，辟穀的事過幾天他自己就明白了，讓他去翻營養書……」

道長：「我是說，當我們有了剛才我說的領悟，生命就不會因爲外在的變化而變化，比如說你爲了什麼事而生氣，或者因爲什麼而狂喜……我們對生命的感激和讚美，是對生命的一種眞切的、最直白的理解和感受。當我們明白我們是無量壽的時候，也就不會害怕類似死亡的過程了。每一件事情都是美麗的，無非各有各的美麗，彎腰的有彎腰的美麗，抬頭的有抬頭的美麗，也沒有殘疾的概念了，也沒有什麼好壞之分，美是無處不在，何時何地都有的。」

夏天在山下。暮色居然「燦爛」，因爲有夕陽。微微風跨山越嶺穿行過我們。晚餐等在門裡……

28
辟穀的副產品

道長：「辟穀是為了轉變生命的形態，在轉變生命形態的同時，達到了我們人生需要的其他狀態，使生命發生一個質的變化，發生一個飛躍。對我們練功的人來講，辟穀是一個功力提升的手段，是功與功之間的一次提速。治病、養顏、減肥等等，都是辟穀的副產品。」

不眠夜點頭：「可能副產品對我們更需要！」

晚餐……呵呵，全桌沒有一個糖尿病人。不眠夜吃兩碗米飯，享盡人間美食，還假裝嚴肅地與道長一般正經討論爲什麼正一派可以吃葷、可以結婚。道長的回答自然又是非同一般的好聽……略，必須割捨了，否則這樣下去，再過三個月，諸位還等不到我辟穀的精彩呢！不眠夜則「暗度陳倉」——他有絕對的專業素養，以五個字以內簡短的提問、帶出道長不可能短於五分鐘的解釋，而在道長的思索與回答之間，不眠夜的筷子像馬拉松隊員，不停地在諸盤子、盆與自己的大嘴之間來回來回奔跑。終於，他那雙染盡人間煙火的筷子，像他那顆期盼了整個下午的「晚餐心」一般安頓下來，停泊在已經被他弄得相當滄桑的碗邊！

不眠夜恢復五個字以上的問題：「道長，我還有很八卦的問題。你下午說了夫妻是緣分，那父子呢？」

道長：「兒女與父母之間也是緣分啊。」

不眠夜漫無邊際：「在父、子都脫離了人世之後，他們之間還有關係嗎？」

道長：「完全可能有。但是究竟還會是怎麼樣，就要靠相互之間的因緣了。父親對兒子有因緣的影響，父親積的德或者做的壞事，對子孫後代都有影響。每一個人在這個世界上做的種種事情，對他人都有影響；反過來，每個人也會受到各種各樣的影響。血緣越近，相互的影響越大。一個人做過的好事多，對兒孫的幫助就大；如果做的壞事情多呢，對兒孫的影響也大，就是這樣。」

我：「這種影響一直存在？」

道長：「你的存在並不是因爲你身體的存在，所以也不會因爲你身體的消失，你就不在了。人體是物質，我們都錯認爲物質不在了，人這個靈性的生命也就不存在了。不是的，這就把物質和能量隔離開了。我們下午剛剛說過，意識是可以脫離物質而獨立存在的。」

不眠夜（攝入的美食正在轉化爲精神，他爲此兩眼發亮……）：「鬼魂……」

道長笑：「天快黑了，早不言夢，午不言凶，夜不言……你說的那個字。我說的是『意識是可以脫離物質而獨立存在』，愛因斯坦相對論 $E=mc^2$ 證明能量和物質是可以相互轉換的，這已經跨出很大一步了。以前我們不認爲物質和意識是可以轉換的，物質就是物質，磁場就是磁場，空氣就是空氣，怎麼可以轉化呢？但是目前科學的認識也是僅此而已，科學還接觸不到元神，還不能夠求證出意識可以脫離物質而獨立存在。」

我：「夢算是意識脫離出來的存在嗎？」

道長：「某種程度上來說是，但還應該從更高的層面上來看。」

胖子：「現在很多科學家在試圖證明時空是多維的，並不只是三維時空，時間是可以倒回來的，這算是研究意識可以擺脫物質而獨立存在的方式嗎？」

道長：「科學研究的三維以上空間、時光倒流……我們稱之爲不同的向度。透過修煉的方式能夠回到從前，也能夠到未來。隨著修煉層次的繼續深入或提高，到達莊子描述的『無古今』的層面，過去未來都在現在，只有現在，當下就是一切。夢是多維空間的東西，我們的有些夢會知道、會提醒我們明天或者這段時間內會出現什麼事情，也有的夢會栩栩如眞地回到從前。」

我：「大部分夢都不知道是在哪裡，在幹什麼。」

道長：「很可能這些夢就有很大的意義，可能是未來的暗示，也可能是你們的從前。很多人有過重複做一個夢的經歷……如果夢能夠提示未來發生的事情（這個很多人都有體驗），夢當然也能夠提示我們的曾經或者過去，無非大部分人不懂，不知道，也沒有留意……」

略！不要可惜，我們辟穀之後還有專門討論夢與今生的展開。白衣女子進來告訴我們，明天的機票定好了，宣告晚餐的結束……

＊　＊　＊

我們回到小小的、充滿夏夜芳香的草地上。藍盈盈的夜晚降臨了。山下紅塵燈光流淌。那是連夜晚也不能讓它停止下來的熱鬧、無奈、繁忙。兩天以前我們都在那片流動的燈海裡面，幾十年如一日，糾纏著難以脫離，也沒有想過脫離。現在……那片流動的燈火讓我想念我的家人、我的狗狗寶貝，不眠夜想他的兒子，胖子想整個世界……紅塵的牽掛挺美的，酸酸中的甜，也可能是味感醇厚的苦（比如苦咖啡，或者清炒苦瓜……呵！）。依照道長的意思，重要的是怎麼能夠充分的融入與感受，又能夠不為它羈絆，擁有心裡自在的安寧與快樂。把握這個，可是比考大學難多了。關鍵提問是：我是誰？我為什麼而來？我這一生要怎麼度過？（自我總結，還未與道長核實）

透明的、微微的、沉沉的、藍色的、籠罩住了眼前世界的夜幕……

山上這兩天，好像心裡有一些東西被攪動了，還不十分清楚是什麼，很難準確地抓找出來，像聲音響在山谷裡面，一下子就消失了，也像雨滴滴落在水面，湖裡，河裡，海裡，漣漪片刻，消失了……

不眠夜若有所思點著頭：「你們說，哥們兒辟完二十一天的穀（他首創將辟穀兩字分開使用）（顫音），該會是個什麼樣子？是精神矍鑠，非同凡響了，還是一副非洲難民樣了？前程難以估量啊……」

胖子：「你好像不考慮糖尿病的治癒問題，它會不會好……」

不眠夜氣壯河山：「那都是小問題了，哥們兒是生命的提升！一個小小的糖尿病還阻撓生命的提升了？不過……道長說的是眞的嗎？眞沒事嗎？別哥們兒身爲白老鼠壯烈地爲探索中國的傳統醫學獻了身……」

胖子笑：「別弄得這麼偉大，什麼獻身，充其量是餓死的，在這個年代，呵呵……」

不眠夜眼露憂傷：「那不值……餓死的，哥們兒一世的英名……結果是餓死的……」不眠夜的眼睛在夜色中像小獸一樣發出兩小朵綠光。

我們大笑。

道長處理完他的事情了，從小樓裡走來。

不眠夜：「道長，我的血液很酸了嗎？」

道長笑：「是已經開始變酸了，這是一個非常不好的症狀。」

不眠夜：「道長，我再來就是辟穀了，但是這兩天我們眞正談論辟穀的時間很少，我能不能夠請求你，不要再話題拐彎，只和我談談辟穀的事兒行不行？」

道長笑：「那你們的問題先不要拐彎……」

不眠夜伸手在我和胖子的眼前：「你們基本上不許提問，因為馬上要做白老鼠的是我。」

我伸手捂嘴……

不眠夜：「辟穀的目的究竟是為了什麼？結果能夠怎樣？」

道長：「辟穀是為了轉變生命的形態，在轉變生命形態的同時，達到了我們人生需要的其他狀態，使生命發生一個質的變化，發生一個飛躍。對我們練功的人來講，辟穀是一個功力提升的手段，是功與功之間的一次提速。治病、養顏、減肥等等，都是辟穀的副產品。」

不眠夜點頭：「可能副產品對我們更需要！」

道長微笑：「你在追求副產品的同時，首先你的身心靈會受到提升……」

不眠夜：「身心靈的昇華是我的終極追求——但是道長，說實話，境界還是太高了，先別談身心靈的提升，先給我們講講副產品的優勢……」

道長笑：「第一個附帶產品是：告別癌症。一個人如果能夠連續做到三次辟穀，他不會有癌症，他會像我們古人那樣，壽終正寢，無疾而終……」

「哇塞！」不眠夜鼓掌一次。

道長：「第二是治療疾病。它是整體治療疾病，是整體的除毒，所以一般的疑難雜症透過辟穀都能夠得到很好的控制；第三是美顏，身體機能，皮膚膚色，包括眼睛的變化，能夠使我們身體的機能退後二十年，就是年輕二十歲；第四，戒除各種各樣的癮，包括戒毒、戒菸、戒咖啡的癮、戒酒癮。這些在平常我們很難驅除的東西，透過辟穀統統都能夠戒掉，過程自然而不痛苦，不讓它們再控制我們的生命；第五是瘦身、減肥，這個是目前全世界都在研究的；第六，使我們的生命得到進化，世俗一點說，返老還童。這些都是辟穀的副產品，透過辟穀都能夠達到。」

不眠夜：「道長，你的話給我相當的信心，這是我得病這麼長時間以來所沒有的！西醫讓我失望，西醫的說法很簡單，糖尿病沒有什麼治癒的可能，只有透過打胰島素種種的方法來控制病情。我的病情能夠控制住就很樂觀了。中醫對我也沒有什麼有效的辦法，說實話，我覺得還不如西醫呢——你別介意。我是抱著死馬當活馬醫，譬如旅遊散散心吧這樣的心態到處遊走。但是我不懂，一個用於修煉的功法，怎麼會對治病有作用呢？而且還是這麼好的作用？」

道長：「西醫有它很了不起的一面，尤其是西醫的外科，但是科技在醫學的發展使目前的醫學還只能達到分子醫學的範疇。我昨天給你們講過了，支援我們道醫的是能量醫學，這是目前的西醫所無法企及的，我們的能量醫學是建立在道對宇宙、對生命的了解之上。你說的中醫應該準確地說是漢醫，因為還有蒙醫，還有藏醫，是不是？實際上這些都是道在醫藥領域的運行。中國有『醫道同源』『十道九醫』之說，基本上表明了醫和道的關係。像李時珍、華佗、孫思邈，他們都是道醫，還有像李白、王羲之，他們都是道士，王羲之是三代家傳道士。中國的文化都和道有著不可分割的關係，醫道只是其中一種。中國的道醫有兩種方式流傳到了今天，一種是世醫，還有一種是廟門裡面的道醫。」

我忍不住：「華佗是道士嗎？」

道長：「是啊，史書上稱華佗為『方士』，方士是道教方仙教的遺存。華佗對中國醫學的影響不用我說了，在今天人們要誇讚一個妙手回生的醫生，不管他是西醫還是中醫，最高的評價就是『華佗再世』。」

我：「不眠夜，我提一小問，怕一會兒忘了：怎麼區別道醫和中醫呢？」

道長：「道醫最重視內證學，依靠的是經絡學說，這是我們能量醫學的根本。能量醫學中人體的經絡學，是我們的先輩在修煉的過程中、透過練功的實證體系，在練功的內證過程中氣通百穴，然後逐一記錄下來的。為什麼我總在說中國的道了不起呢，因為我們中國人、中國文化是站在真理的原點來看待世界的。我們從四千多年以前就開始研究天、地、人，發展出了整體學說、陰陽學說、五行學說和精氣學說，這些都是今天西方人才開始進入的領域。今天的科學研究主要對象就是『宇宙、人體、自然』，是不是就是我們古人早就在研究的天、地、人呢？因此，我同樣認為西方科學與道是不矛盾的，無非西方科學要年輕許多許多罷了，我們要有耐心等待科學的成長。」

不眠夜：「你說的不會是一種傳說……」

道長：「我們古人留下了很多的文稿、書籍，怎麼會只是傳說？問題是這些書很少人去看、去研究。」

胖子：「雖然西醫對糖尿病沒有什麼有效的辦法，但是西醫的實證是我們心服口服的，我們都看到了西醫治療的白喉、腦膜炎、肺病、肝病，它不是治好一個人，而是凡是得了這個病的人，西醫都有治癒的可能，這就是我理解的西醫的實證。在我們認識你之前，中醫也好，道醫也好，也許有用，但不是對人人都有用，有用的機率是很低的……」

不眠夜：「就是說，你可能會治好我，我是這麼希望的，但是不是每個糖尿病人、每個癌症病人都能夠被治好？如果眞是這樣，中醫也罷，道醫也罷，不得了了……」

道長：「道的實證必須要透過修煉，這是我們的實證。凡是到我這裡來醫治的，以糖尿病爲例，還沒有失敗過。但即使這樣，也只是很小的一個例證，因爲我們的目的畢竟不是行醫看病，只是附帶著解決了病的問題。你說中國的醫學沒有普適性，不是這樣的，針灸是中醫的基本治療方法吧？現在世界開始了解它、接受它，在西醫高度發達的德國，保險公司也開始接受中醫針灸的醫療費用支付。像針灸能夠被普及，也是經過了這麼多年，還是因爲針灸的方式比較簡單，只要掌握基本的技巧和對人體的大致了解，不需要花費很多、甚至大半生的時間去鑽研。而且針灸的方式見效很快，一個人如果頭疼，在這個人的腳上扎一針，頭疼就好了。僅僅是這樣，西方人就覺得神奇得不得了。其實西醫學只是認識了生命很淺的一個層次，這個歷史和科學都會來證明。」

胖子：「『以人爲本』是道家的語言嗎？」（我的「中醫與西醫的差別」問題被生生岔斷……我辟穀的時候才得到正式回答！）

道長：「『與人爲本』是中國早期道家的一個思想，中國除了人本思想之外，還有更爲深刻的民本思想，以民爲本，以民爲貴……但是以人爲本並不是一個終極，實際上，我們人類現在所有的維繫都有一點過分地強調人的重要性，於是產生破壞，沙塵暴、全球暖化等等這些正在出現的問題，都是以人爲本操作的結果。不斷追求人類自身的利益，就會不斷破壞自然。道教最早的思想：

天與人一也，回到天人合一的思想裡去，在這個裡面我們看到的是人與自然和諧爲本，要從『以人爲本』過渡到『人與自然和諧爲本』。」

不眠夜：「辟穀辟穀，不說其他的了。道長，我一個月以後來有問題嗎？」

道長：「你放心得下你的身體就行，以你晚上吃飯的那種方式，我其實都不應該放你下山了……」（呵呵，看來道長是眼觀不眠夜晚飯德行的）

不眠夜：「唉！這段時間盡浪跡江湖了，回去處理一點正事……」

道長：「還有比你自己的生命更重要的事情嗎？我很不理解，即使你們看起來很健康，你們的這種『換取』值得嗎？用繁忙、勞碌、不停止，換取什麼呢？生命本身就那麼不重要嗎？」

不眠夜：「倒不是。但是哪是想停就停得下來的？汽車還得先減速呢……有時候事情會自己來找你，慢慢就被套住了……」

道長嘆息：「說點題外話。人們都說『小聰明』與『大智慧』，爲什麼不說大聰明與小智慧？因爲聰明就是小的，智慧是大的。人的聰明讓人不放過任何一個利益機會，只有有智慧的人才會主動地放掉。這個世界上眞正昂貴的、有價值的東西都是老天免費給我們的，比如空氣、水，還有我們的身體。但是人們爲了名、利等等一些世俗的快樂，不惜拿最昂貴的東西去換取——用純淨的空氣和水，用我們唯一的身體。這個世界有一隻看不見的『大手』在平衡著，不會讓世界失去平衡，你想要『得』，就要有失。而主動的放，才能眞正的得。所以用我們的健康來換取有限的金錢，這就是小聰明，即使得到了，失去的更多。有很多人什麼都可以享受到，卻依然不快樂……當我們最終有所醒悟了，希望能夠享受生活了，卻來不及了。生命中所有眞正好的東西都是最簡單、最便宜的，要有智慧看到這些的可貴……有什麼事情是放不掉的？」

不眠夜：「我靠！我明天回北京整理行李，後天回來！一言爲定！」

29

辟穀的「白老鼠」

不眠夜在隱退北京城之後的第三天，終於打來電話——

第一個：「哥們兒已經減食兩天了，道長說明天開頂，辟穀……」

三天之後：「……今天是辟穀的第三天。沒事兒，沒什麼感覺，我挺好的……」

又過幾天：「我已經七天沒有吃任何東西了，居然還能夠爬山！道長逼的。我到處遛達……沒有偷吃。沒什麼感覺。」

……

不眠夜說到做到。回北京待了二十一天，壯烈而神祕地宣告將消失二十一天，上山辟穀（大部分人都搞不清楚他說的辟穀是怎麼一回事），轉而第二天就從北京城消失了。

我開始接到四面八方的來電：

「怎麼回事？他說去辟穀？幹什麼去了？」

我說：「……」（略）

「什麼？這不是絕食嗎？要多少天啊？」

所有的聲音或者表情頃刻大驚失色：

我：「……」（略）

「十五天？看過《紅岩》嗎？你想想，人七天不吃飯會怎麼樣？」

諸朋友聲音隨即升高或急劇降低：

「我的天！現在找都找不著他了！那個不符合科學！你三天不吃飯試試……」

「你說沒事就沒事？萬一出了什麼事……」

表情沉重。語氣沉重。

爲了安慰他們，我說過些天我也要去辟穀。我是十五天。

一石捲起千重浪：

「你也要？你爲什麼要十五天不吃飯？你又沒有糖尿病……」

「有什麼事你說！你別這麼嚇唬我們！」

「你爲什麼要辟穀啊？」

「商業廣告吧？」

我重複道長話語，盡量簡潔回答，避免嘩眾取寵的傾向：「爲了提升生命的品質……」

他們的表情像被龍捲風捲了，五官被震驚得要飄移：

「這你也相信？十五天不吃飯是爲了提升生命品質？我是外星人你信嗎？」

「……你傻啊？你想想，人能夠二十幾天不吃東西還好好活著的嗎？你是哪兒聽來……」

我不得不鸚鵡學舌、踉蹌著多說幾句：

「我們的生命其實有兩套維持系統，但是我們只知道我們天天在用的這一套。辟穀就是關閉了我們日常的飲食和消化系統，用另一套系統來維持生命……」

「你知道？在哪裡？指給我們看看？」

「哪一套系統？汽車沒有了汽油還能夠發動嗎？」

「一個糖尿病人，醫生讓他少吃一點都快急紅眼了，像要了他的命，這下倒好，什麼也不能吃了……」

我：「……太陽……東邊升、西邊落……感受不到地球在動啊……」

「親愛的，太陽沒有動，地球在動，也是我們的衛星在天上看到的結果。能夠在我們的身體裡面放一顆小衛星看看生命的第二套維持系統？」

「人說這個世界上有神仙，你也相信、也要去找嗎？」

我：「辟穀功就叫做神仙功……」

「也許這個世界上有神仙，我們也懷疑我們自己的生活，但是我沒有懷疑過人是要依靠吃飯活下來的，人不能夠沒有空氣，不能夠不喝水……有點科學依據好不好？」

我結巴：「科學還很年輕……」

朋友：「科學並不高遠，科學也是常識……」

朋友絕望：「完了完了，她已經走火入魔了！傻子都明白的事情她卻糊塗了……」

……以我無語收場。收好幾場。

＊　＊　＊

與此同時，不眠夜在隱退北京城之後的第三天，終於打來電話——

（那個並不遙遠的縉雲山養生之地，只有幾個微小的小角落能夠接收到手機訊號。除非人從那裡打出電話，否則永遠「不在服務區」。）

第一個：「哥們兒已經減食兩天了，道長說明天開頂，辟穀……」

三天之後：「……今天是辟穀的第三天。沒事兒，沒什麼感覺，我挺好的……」

又過幾天：「我已經七天沒有吃任何東西了，居然還能夠爬山！道長逼的。我到處遛達……沒有偷吃。沒什麼感覺。」

之後：「今天是辟穀的第十天。哥們兒轉著台看電視裡面吃飯的畫面。太想念塵世生活了。你們有多幸福，你們知道嗎？……」

手機簡訊：「辟穀第十三天了！我現在每天很重要的事情就是去下面的農家樂遛達。我已經被他們注意了：一個天天都在迅速消瘦的不明身分男子，總在吃飯的時候在陌生人的桌邊轉悠，眼神貪婪發綠，自己又從來不點菜不吃飯……哈哈！他們不知道他們遇著神仙了！」

手機簡訊：「弟兄們！還有五天辟穀結束啊！你們知道我盼望什麼嗎……」

大家都知道，不眠夜就是喜歡金錢和美女……

不眠夜：「全錯！什麼金錢！什麼美女！統統靠邊兒去！對於我來說，最美麗的生活與這些俗事都無關！幸福就是番茄炒雞蛋，是紅燒豆腐，是能夠面對天空喝茶嗑瓜子！你們都還不知道在最簡單生活裡面有多大的快樂！哥們兒真的身心靈都昇華了……」

手機簡訊：「明天辟穀就結束了啊！我活得好好兒的！你們可以放心來辟穀了！我一切正常！我靠……我全部的衣服都大得讓我懷疑：我這麼胖過嗎？明天下山先買衣服！」

……

我們的那幫朋友像看直播一般天天關注著山上那點事兒！

沒有一個人相信人可以這麼多天不吃東西的。直接一點的：「不可能！他肯定偷吃了，以他絕不可能十五天什麼都不吃！」

委婉一點的：「見著真人再說，問問他是怎麼忽悠過來的……」

憂慮型的：「蔓蔓你可別！你太認真了，人家都能夠應付過來的事情，到了你這兒可真的要出人命……」

其實我內心未見得與我的那幫朋友有多大分界。山上的兩天半，怎麼抵擋得過山下這麼多年的生活習慣、思維觀念？縉雲山，道長，道教音樂，在銅牆鐵壁、堅硬龐大的紅塵面前，瞬間被高壓成縹緲的一點兒氣浪，若有若無，似隱似現。這點兒氣浪，還全靠不眠夜在襯托。

但我是一定要去辟穀的。那點兒氣浪般的隱隱綽綽讓我對本來就很不滿意的紅塵更加懷疑：人生難道眞的就是這樣？所謂快樂、幸福、悲傷、成功……我們的這顆心，只能浪跡在這般不可預料的幸運或不幸之中？人（我）眞的可以十五天不吃任何東西？身體的兩套系統眞的存在嗎？

我看過一位科學家說過的話：一個新的思想模式滲透一個文化的核心，需要大約一千年，而科學成爲人們日益關心的事業才不過五百年。

中國的道文化記錄有四千七百多年。

我眞的從來沒有把不眠夜當白老鼠的意思。辟穀，當我略知其一，已經成爲比去南極、北極還吸引我的極限挑戰；我知道它是唯一能夠讓我停下來，重新審視自己生活和生命的契機。我唯一做不到的是：像不眠夜一般當即辟穀。

＊　＊　＊

一句歌詞，那段時間不由自主地在心裡被我反覆吟唱：

「紅星閃閃……放光彩……」

我要去找那顆紅星……^_^

30
吃死了算

無話不說：「我上山幹嘛來了，還不是聽了你們這幫子人的忽悠。現在好，根本就不給辟穀！我能不吃大肉包子嗎？」

他又掰開一個塞入嘴裡：

「你們的未來充滿希望，你們都要走到成仙的道路上去了，我是沒有希望了，我吃死了算，就在你們修煉的眼皮子底下！一個血糖指數16的糖尿病人！」

緊趕慢趕，紅塵漫漫，九月中旬，居然被漂亮地空了出來！

九月十五日，我們終於再次踏上重慶之旅。

在諸多反對、質疑的朋友中，居然有人強烈要求和我們一起去辟穀，他們是小男和小女。我和胖子先行，他們隨即。我們約好：縉雲山見。

＊＊＊

二○○五年九月十五日深夜，縉雲山以我們熟悉的安寧、怡靜，山林的芳香，漆漆的黑暗，迎接了風塵僕僕的我們。午夜站立山頂瞭望山下，紅塵只聞汽車飛駛的馬達聲。也許山上有霧，看不到一丁點流動的燈光……

爲了節省時間，我們按照道長的吩咐，兩天前在北京已經開始減食。十五號這天，只在中午的時候一人吃了一盒最小量的泡麵。一直在等候我們的道長詢問了我們的飲食情況，安排廚房給我們一人煮了一小碗軟軟的麵。約定第二天晚上辟穀。

我好奇，亢奮，又緊張。期待已久的時刻……

人的心思眞是很奇怪，當身邊充滿反對的聲音，自己往往是堅定和充滿勇氣力量的，非此不可；當所有反對的聲音消失，當眞要展現勇氣的時候，懷疑像月光一般慢慢爬了上來，逐漸普照內心：眞的要這樣嘗試嗎？

我心裡那個膽怯的聲音：萬一……呢？西醫手術都會有「以防萬一，責任自負」的手術簽字，值得爲了這個也許僅僅只是好奇……？

什麼叫覆水難收？就是我已經站在養生中心二樓二〇一房間內思量這些。

正是在這間房間，道長兩個月前給我們幾個人用電檢查了身體。那時我疑惑過會不會牆上的電源插座不是二二〇伏特而是改建過的？我爲了想收覆水，在那個黑漆漆徬徨的夜，舉著枱燈蹲在地上仔細地檢查電源。沒有任何修改過的痕跡。每一個螺絲接口都滲透著山上常年潮濕浸蝕了的陳舊。插座四周的牆紙和房間任何一個地方一樣，泛著潮潮的黃色。

我依舊不放心，將旁邊電視機的插頭拔過來插上——電視的午夜新聞正述說著山下的和平歲月。

似乎我想起不知是誰說的，三十伏特的電壓就能夠打開電視機收看節目。我拔下電視插頭，換上隨身聽、DVD機、吹風機、電腦、手機充電器，一一試了，小東西們都態度耐心、表現良好地和我合作。

說不上是什麼心情，什麼期待，是滿足了什麼，放心了什麼，還是死心塌地了，我的一顆「小人之心」漸漸平靜下來。應該一切都是正常的吧……

* * *

次日早晨，是九月十六日美麗的晴天。午夜的霧散得無影無蹤，藍天無垠白雲懸浮，風吹竹林沙沙響。

早餐已經不允許吃乾糧，我和胖子是薄薄一碗稀粥，碗比茶盅略大。

粥喝了一半，我抬眼居然見到了「無話不說」！驚喜！

不眠夜在沒有辟穀之前，我們就說過，如果辟穀有效，一定要讓無話不說也來。無話不說，紅塵另一智慧男，功績顯赫，人生正發憤圖強，無奈糖尿病！不眠夜在辟穀期間我們也都有聯繫。據不眠夜稱，二十一天「煎熬」之後，真的什麼都好了，遂強烈介紹給無話不說。但是沒有想到此刻遇到，他沒說過，不眠夜也沒有說過。

無話不說小露一驚喜，立馬收回：「我知道你們昨兒來了！我三天前就來了……我自個兒來的，等你們弄完再介紹，這麼好的事兒，黃花菜都涼了！」

一絲笑容劃過嘴邊，立刻被收藏。他似有心事。回想不眠夜，哪個糖尿病人會沒有心事？

他說，不眠夜回到北京，已經過上了人一樣的生活。

呵呵我知。關於不眠夜……且放下，他回到紅塵故事多多，以後再敘。

無話不說稱自己爲了也盡快過上人的生活，依照不眠夜的指點，自己三天前尋到了山上。

我們依照道長的叮囑慢慢嚼粥；無話不說則一個包子，一個包子，又一個包子……

胖子問：「怎麼也得糖尿病了？」

無話不說以一種分不清是誇讚還是絕望的語氣：「嗨！我沒什麼錯！要錯就錯在太熱愛生活了！我愛吃——一個正常人誰不愛吃啊！但是可能太愛吃了。我爲國家工作時間也太長了——對工作我是無可奈何、迫不得已地必須熱愛，不工作我幹嘛去？我又沒有老婆看著我；工作之後我多少也要娛樂、放鬆一下，和朋友唱唱歌，或者再吃頓飯什麼的，這樣往往就到半夜了。出早新聞我要負責，一般淩晨三點就要到上班地點……」

「你什麼時候睡覺啊？」我想起夜夜被「那幫孫子拉著打牌」的不眠夜。

無話不說：「說的是呢！這就成了問題了！我就像一種小動物，隨時睏隨時睡一會兒。血糖可能就是這麼著，種種因素的累積，高了。然後發現血壓也高。」

無話不說伸出一個胖乎乎的手指，輕輕將他面前的那盤糖包子推開：

「打擊太大了！女人，得敬而遠之了！美食，最多只能看看，聞都不能聞……」

我笑：「聞聞沒事吧，聞聞也會血糖升高？」

無話不說：「我要是湊過鼻子去聞了，我＆￥＆￥＆￥的就豁出命去了，吃了再說！所以聞都不能聞。我現在活得很沒意思！」

但是就在這瞬間，無話不說很快地伸手又抓過一個肉包子，兩口就塞進了嘴裡。他緩慢地嚼著，眼睛直直地望著窗外。

我吃驚：「你吃這麼多肉包子？」

無話不說：「都數著哪？」

他非常享受地吞嚥下去：「我自己也數著呢，這已經是今天早晨第六個了。醫生當然是什麼都不讓吃，」他喝一大口粥，半碗沒了：「這還是早上，還算少的。等中午了讓你們見識見識。」

我吃了一驚，這吃法，比往日的不眠夜可狠多了！

我：「道長說你可以這麼吃嗎？」

無話不說面無表情地伸出三個手指頭：「道長跟我掰扯了三天道文化，講了三天辟穀的好處，但就是不給我辟穀！」

無話不說橫著眼神看我們：「我￥&￥&￥&的就死吃！我看他一個修煉的人見死不救！」

我忍不住大笑：「……是不是吃了血糖也不高啊？」

無話不說：「怎麼不高？血糖都在快17了，你們正常人是5左右。」

胖子也笑：「那你別這樣。他不給你辟穀，肯定有你不能辟穀的原因……」

無話不說：「我就是辟穀來了。在山下和那幫朋友都這麼說了，他們都不信，弄得我都特悲壯！告別場面挺壯烈！我這不辟穀了，下了山怎麼交代，不成忽悠了嗎？一點面子也沒有了……」

我：「那道長怎麼說呢？」

無話不說：「道長說給我治療。那種治療有什麼用？這裡摸摸，那裡捏捏。我上山幹嘛來了，還不是聽了你們這幫子人的忽悠。現在好，根本就不給辟穀！我能不吃大肉包子嗎？」

他又掰開一個塞入嘴裡：

「你們的未來充滿希望，你們都要走到成仙的道路上去了，我是沒有希望了，我吃死了算，就在你們修煉的眼皮子底下！一個血糖指數16的糖尿病人！」

眞夠狠……

胖子笑：「你治病就治病，什麼成仙的道路……」

無話不說：「都跟我掰扯三天了，我還不知道辟穀的目的？起碼活一百五十歲，那還是人嗎？」

31

調節生命的能量

道長：「並不是每一個人都適合辟穀的。不辟穀也同樣能夠達到治療你的目的……」

無話不說：「你說怎麼來治我呢？」

道長：「調節你生命的能量啊。這個調整好了，你的身體自然就健康了。」

早飯之後，在院子草坪上，我們各懷心思遭遇到了依然是白衣白褲、笑嘻嘻的道長。

無話不說恭敬地鞠了一個躬：「道長，我早晨吃了六個肉包子、兩碗粥，還有其他亂七八糟的。我想好了，你們奔神仙的道兒上了，我有病，壽命反正連脊椎動物生長期的一倍都到不了，我就死吃，思維的重點就是：在有限的生命裡面，別餓著自己……」

我們笑。

胖子：「你等等，脊椎動物生長期，道長好像說過人的生長期是五十歲，那這樣你的『一倍不到』也九十好幾，你還是悠著點吃吧……」

道長呵呵笑：「脊椎動物的壽命都是生長期的五至七倍，像牛的生長期爲四年，其壽命約二十至三十年。人的生長期，道家養生理論認爲是五十年，我們現在一般算做二十年至二十五年。」

無話不說用手指指著自己：「像我這樣血糖指數的糖尿病人，這樣的吃法很快就會完蛋吧？我這也算是一種追求……」

道長笑：「你應該愛惜自己的身體，更應該愛惜生命……」

無話不說：「我沒轍，我都病成這樣了，還不給我辟穀。」

道長笑：「辟穀不是唯一的治療方法。病都不是大問題，可以治好，關鍵是看你的心，心調整好了就有救了。」

無話不說：「我的心沒有問題啊，好好兒的！我不明白這是爲什麼？爲什麼不眠夜就可以辟穀，我就不可以？是我病得沒他重嗎？那我就是吃得還不夠多……」

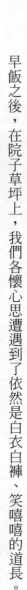

道長：「並不是每一個人都適合辟穀的。不辟穀也同樣能夠達到治療你的目的……」

無話不說：「你說怎麼來治我呢？」

道長：「調節你生命的能量啊。這個調整好了，你的身體自然就健康了。」

無話不說滿臉擺上「蒙人」的表情：「這個話聽起來太不靠譜了，什麼叫調節生命能量啊？就像說『吸收宇宙能量』，宇宙能量怎麼個吸收法？能量怎麼個調節法？誰知道？還不是說是什麼就是什麼了？」

道長笑：「宇宙當然是有能量的，人也是能夠接收的，他們今天晚上就要開頂辟穀，就要依靠吸收宇宙的能量活了……」

無話不說：「還是啊！他們走上了成仙的道路，我呢？自個兒倒楣去吧！」

我們大笑……

無話不說：「我也不是賭氣來的，我這個生命能量比宇宙能量弱小多了吧？怎麼調節？透過練功嗎？比如說哪個功？怎麼個練法？你能不能具體地說一說看看我有沒有這個信心呢？」

道長：「你首要的是解決思想問題。這個問題解決了，當然就要學具體的功法了。我們有專門的人教你功，有專門的人治你病，那就進入另外一個程序了。」

無話不說：「你不給我辟穀，我就無法解決思想問題。」

道長：「養生有調心、調身、調息的過程。這三天來我們做的是調心的工作，嘿嘿，但是看來效益不大。沒有關係，我們還有很多天的時間，你一定會有所改變，因爲這是一切的基礎。」

無話不說：「什麼一切的基礎？我光生氣了，沒聽清楚。」

道長：「你心理上是不是接受？然後才是一個自身實證的過程。像他們要開始辟穀，他們肯定在心裡接受了，相信了，只是在具體的問題上還不知道究竟是怎麼一回事。在今天晚上，他們就會知道、就要開始親歷實證的過程，然後他們要開始練功，要學會採氣。你這個調心的過程一旦完成，就是調息、調身了。調息是調整呼吸的意思；調身就是進入我們養生的程序。」

無話不說：「我當然相信了，不接受，我大老遠地來幹嘛？我剛才測了，血糖已經達到了有史以來最高點！我想，我是不是要完蛋在這山上呢！」

道長笑：「你不會完蛋的，你對我們、對你自己，都太沒有信心了。爲什麼不給你辟穀呢？就是你的心沒有調整好，老是這樣賭氣，這樣消極的想問題，那是要出問題的。」

無話不說：「現在不是問題更大嗎？你給我辟穀，我就沒有氣可賭了，也不會消極了，正好適合辟穀……」

道長：「你的心若沒有調整好，就像訊號沒有對好，我的資訊，宇宙的資訊，你都收不到，那樣辟穀怎麼行呢？（笑）我跟你打個很通俗的比方說啊，這個手機能夠打通電話只有一個原因，它的接收很準確。你們打開電視機，絕對是你要搜索到的那個頻道對了，你們要收看的東西才能看到。但是有的時候人們會這樣以爲，如果撥出去的手機號沒有聲音，電視節目搜索不到，就會認爲手機、電視機是虛假的。錯了，電視機、手機都是眞實存在的，只是我們要創造證明它眞實存在的條件，這個條件包括那邊電視台要發送準確的訊號，而我們也一定要調出相應的頻道能夠收到這個訊號。」

無話不說：「你是說我就好比是那個電視機，而你是在幫助我調整頻道？那憑什麼認爲一定是我這個機器的接受頻道沒有調好？也許是根本就沒有訊號呢？」

道長笑：「所以你從根本上是懷疑的、不相信的，這樣怎麼能夠辟穀呢？」

無話不說：「好，算我沒說。言多必失！」

道長：「我只是拿這個打比喻。我繼續這麼比喻，我們現在透過使用的手機、電視機、無線電，知道了波的存在。而這些存在的波裡面，就有你需要接受的資訊。在這個世界上，它們一直都存在。你收不到一個電視頻道就說這個頻道不存在，其實收不到是因爲你的頻道沒有調準。當我們認識到『存在』之後，就會發現同樣頻譜的波，這就是我們調心的過程。技術地說，不是說你沒有心或者說心不好，而是調整。我給你發『聯通』的波，你一定要用『中國移動』去接收，肯定收不到，你就說『唉！是這個手機有毛病』，或者『這是騙人的，根本什麼都不存在，因爲你看我什麼也收不到』，這是不是很像？調心調好了，就能夠接受到頻道的訊號了。」

無話不說：「好，算你對，那我要調多久才能夠調準頻道？」

道長：「我是做了技術的比喻。人心比機器要複雜得多，因爲人有意識，有認識……」

無話不說：「等我調心調好了，練的功和別人一樣嗎？」

道長：「有一些一樣的功，還有不同於別人的治療方式。練功的目的是固本培元，就是調節能量，該增強的要增強，該削弱的要削弱，這種調整基本上是大同小異，人人一樣；但是在不同人的治療方式就不一樣了，我用『治療』二字其實不準確，但是為了讓你能夠理解。對於我們來說，就是全面生活的調整，你也需要全面生活的配合。」

無話不說：「怎麼生活配合？和西醫一樣不准吃東西嗎？按照西醫來說，我現在是什麼也不能吃！所以我不信他了，人不吃東西，怎麼活啊？活著還有什麼意思？」

胖子笑：「那你還要求辟穀？西醫只是不讓你吃油膩和甜食、主食，你就不信西醫了，辟穀是除了水什麼也不能吃，你倒是信了？」

無話不說：「我眼見為實，我瞧見不眠夜了，雖然二十一天什麼也不吃，但是回北京居然都吃蛋糕了……」

我們吃驚地看著道長，辟完穀就能夠這麼吃嗎？

道長微笑：「他這樣可是不好，那他很快就會回來找我的……」

無話不說：「那是他的事，關鍵是我，我現在就在這兒了，對於你我是近水樓台……」

胖子呵呵笑：「你￥%￥#%&￥的還是近水樓台了！誰要近你的水樓台了……」

道長：「別著急，練功也好，治病也好，全部會具體實踐到你的身上！早上常月道長問我了，說你什麼時候要開始治療，我還沒有回覆她。因為你還在調心，要看你調心的情況。」

我：「調心是必不可少的？是治療的一部分嗎？」

道長：「是必不可少的一個重要環節啊！你們上次來不是也經過了兩天的調心嗎？記得嗎？我們聊了兩天兩夜啊！」

我恍然……那是在調頻道了啊。看來我們的接收器都還不錯！

無話不說：「我完全同意讓你調心。對於辟穀，我如果沒有一個認識，我是不會來的。你說的這些，不眠夜也和我說來著，像血管是血的通道，神經是神經訊號傳遞的通道，經絡是我們能量的通道——能量這個詞是西方人的名詞，我們說的是氣通經絡……你看，我都記得呢。但是，什麼能量的通道啊，氣啊，我可以相信，可是我感覺不到，所以我想透過辟穀證明這個，我的病都治好了，通道什麼的，在哪兒，說實話這些名詞、概念什麼的，我也可以忽略不計了，我實事求是，追求眞理的根本。」

32
扶正祛邪

道長：「道家的做法是扶正袪邪，把病治好的同時，身體也變得強壯了。當我們用不同方法把你們的糖尿病治好的同時，你們沒有什麼需要恢復的，你們在病好的同時已經強壯了，因為也只有強壯才有體力來驅病啊。」

道長笑：「但是，辟穀是人完全地依靠能量——靠採氣、食氣活著，你怎麼能夠不相信能量和氣，卻又相信辟穀呢？所以給你調心的目的還遠遠沒有達到。」

無話不說：「我是實話實說，不能我不相信的假裝很信，起碼我這個態度該得分吧？我相信辟穀還有一個依據，就是我認爲辟穀還是有些科學道理的，因爲西方不是有饑餓療法嗎？我了解了一些，但還不是很清楚。我不理解的也是比較不能接受的，是你們老是在說的氣和功，像武俠小說裡說的，這人發功，那人也發功，發功之後你頭上冒大氣，這個咱們能有嗎？肯定沒有，也可能有，但是咱們見不著，見不著我怎麼信呢？還採氣服氣？就這……」

無話不說非常誇張地在空中抓取什麼，張口大嚼，彷彿他很在行：「這你們能相信嗎？」

我們大笑。

胖子：「西方的饑餓療法你也沒見著，只是看書裡說的吧，那你爲什麼就相信了呢？」

無話不說：「不眠夜的辟穀，我看就很像饑餓療法，而且管用，這我看見了，也算是有科學的依據，我當然就相信了！」

道長笑：「你把我們這麼深奧的傳統功法等同於西方的饑餓療法，還說有科學的依據，這個實在是太有意思了！」

無話不說：「是啊，對於我不知道的，我就不可能信啊！像武俠小說裡常有的，點個睡穴，點個死穴，這個可能嗎？除非你點個我看看，讓我立刻睡著……」

道長呵呵笑：「如果點個穴就能夠證明什麼，就能夠排除你的疑慮，使你相信你完全不相信的東西，那我們太江湖了，因爲點穴這種事情太容易了，我們這裡的任何一個道長都會，我相信你在這裡的這些天裡，會有你點穴的時候的。你不相信氣，只需要過程，等到你進入治病的過程中，等你感受到了，就會有所體會。」

無話不說歎氣：「所以不給我辟穀，我就更加沒有信心：我是不是層次太低了啊？提的問題也特可笑……」

道長：「不是這樣，所有的人剛來到這裡都是這樣的，他們也一樣——」道長指著我和胖子：「他們上次談完了到今天都不知道辟穀究竟是怎麼一回事，怎麼採氣，人怎麼可以這麼多天不吃東西照樣活得好好的？但是他們的心調整好了，這就不會出問題。今天夜裡就要開始辟穀，他們自己就將實證這些疑問。」

無話不說依舊嘆氣：「在我聽來所有這些事情都是繞著彎子的，你就不能說『確實有五度空間』，然後麻煩你馬上帶我們看看五度空間，然後說『帶你們穿越時空』，再麻煩你馬上讓我們看見我說話間就到了美國，或者在唐朝了……這是我們很多人的心願……」

我們大笑。

胖子附和：「這確實是我們很多人的心願！」

無話不說依舊嚴肅：「現在倒好，一切的不明白都要透過自己實證，道長還不讓我辟穀實證……那道長，我爲什麼會得糖尿病，而他們卻沒有呢？還反而他們今天夜裡就可以辟穀了？」

道長：「簡單地說，是因爲你生活習慣混亂造成的。越健康的人，生活習慣一定越好。我們治病很重要的就是改正你的生活習慣，修正你的生活態度。所以病並不是壞事，問題是我幫你把病治好了之後，你回到以前的生活狀態了，這樣又能夠維持多久呢？像不眠夜，回去就吃蛋糕，那他是不是又開始不睡覺了呢？你是不是很快又要回到你原有的導致生病的生活狀態了呢？你能夠維持我們給你做的調整嗎？」

無話不說：「那要看是什麼樣的調整了，看我能不能忍受……」

道長笑：「還有不能忍受健康的嗎？」

無話不說：「不行那還是吃藥唄！往嘴裡一放，完事兒！就是不是個長遠之計……」

胖子：「道長，上次上山時我記得你給我們提過一句，從道醫的角度來看，任何的藥都把人體作爲一個戰場……」

無話不說：「這個你這些天沒有跟我說！」

道長：「我簡單地說吧，正是因爲大部分的人對自己的身體沒有深刻的認識，所以都相信……現代醫學我們仔細想一下，就是對抗醫學，西醫經常使用的兩大殺手鐧是抗生素和抗菌素，這個『抗』就是『對抗』，對抗誰呢？在用藥的過程中，我們的身體自然就似一個戰場一樣，讓種種『抗什麼素』在那裡與細菌廝殺。」

我：「那也是治好病了啊！再說，抗菌素什麼的是非常糟糕的東西嗎？」

道長：「抗菌素就屬於對抗醫學，對抗醫學在現在的醫學裡面是最糟糕的。對抗醫學實際上還是處於生物醫學的水準。簡單的比喻，就是每個人都是白老鼠，因爲生物醫學根本就不能夠把人和白老鼠分別開來。我們人有智慧、有感情、有能夠思考的大腦，這是我們和動物的區別；但是我們的西醫在治療一個病人、在把病人放到手術台上去的時候，根本沒有考慮到人與白老鼠是有很大區別的，沒有考慮人是有思維的。他們在實驗中怎麼對待白老鼠，也同樣在手術台上怎麼對待人。這就是生物醫學，很籠統，不準確，不高級，能夠做到的就是頭痛治頭。但是人爲什麼頭痛？生物醫學不管了。一個人胃不好，西醫就治療胃，卻不管一個胃不舒服的人，他的心情是怎麼樣的。而大部分胃有問題的人，都是情緒長期有問題。如果一個人膽囊疼，西醫會把這個人拉到手術台上，也不管你在想什麼，刀一拉，膽囊一取掉，對西醫來說就完事了，剩下的和他沒有什麼關係。他要保證的是手術時不出問題，這就是對抗。你哪裡不舒服，我就把這個不舒服解決掉。你不是這個疼嗎？我就把你的這個拿掉。對抗醫學從來不管我們的身體是相互有聯繫的一個整體。病的眞正意義是什麼？他們根本就不去研究。」

我們聽得發愣。我又回到兩個月前那種「從來沒有聽到過」的癡愣狀態。

胖子：「這與我們中國人傳統上的認知，確實完全不一樣……」

傳播一點「迷信」：小時候生病，家裡有祖母級老人的，通常都不讓孩子去醫院，她們首先會說：「花錢討債，看病有什麼用」，而遭到年輕人抨擊；又說：「孩子生病就像毛竹發節，不病怎麼長大？」那時我們有人頭疼，會說「累了」，靠睡眠治；「心煩」，靠去山上釣魚、聊天治；胃口不好的，會推斷出也許只是沒有睡好覺，或者是有心事，也許是中暑，還有可能是「他喜歡上誰了」，種種可能，對症解決，唯一的就是沒有藥。牙疼也未必是要看牙醫，上火、著急、中暑都會牙疼……這些記憶並不說明我們可以拒絕現代醫學，我只是想起來了，我幼年時遇到的鄰居老人，都是很中國、很鄉土、對自己很有一套的……看不順眼的，算我沒說。言多必失，呵呵……

道長：「他們都聽我說過很多遍了，全世界只有中國的道文化，在四千多年前建立了一個完整的、完美的人體醫學模式，這是西醫至今沒有辦法建立的。現代醫學都是利用外在的力量、外在的技術來影響和改變我們生命的狀況，到目前爲止，西方醫學仍然不需要我們患者、人腦的智慧介入，不需要我們的思維介入。」

我：「治療癌症的化療、放療，也是屬於對抗醫學吧？」

道長嘆息：「當然是啊，完全就是消滅手段的對抗。西方醫學這樣對待人體腫瘤的方式並不正確。我們的身體要從一種疾病狀態轉變成爲一種健康狀態，西醫用的是兩種方式：一個是物理，一個是化學。物理方式包括所有的手術，還有放射療法；化學方式就是你所有吃的藥、打的針、輸的液，還有其他的化學療法，像你說的癌症化療，這些都是化學的手段。一切現代醫學的一切醫療手段都莫過於透過物理和化學這兩個途徑，作用到我們身上，影響我們、改變我們的病理狀態，目的是希望從疾病的狀態變成爲健康的狀態……」

我心情絕望地聽著。我想起我的好多朋友，在接受化療什麼的之後，痛苦地告別了生命……

道長：「不管是物理手段還是化學手段，都有這幾個特徵：一是外力的介入，就是用外在的東西介入到我們的身體裡面，簡單地說要麼是吃藥，要麼是手術，要麼是放射療法；二是對人體具有破壞性，諸如抗生素、抗菌素什麼的，在我們的生命體內形成一個戰場，用藥物來影響我們的生命體，改變我們的生命體。這種做法有時甚至包括中醫，因爲中醫也要吃藥啊，中醫還有針灸啊，這些也是外力的介入。這一切的方法，在控制和改變症狀的同時，都會對我們的身體產生很大的毒副作用，造成了客觀上犧牲局部的健康來換取另一個局部症狀的緩解。另外，現在全世界發生新的病情，每一年都會增加許多種，而西醫對此的『對抗療法』幾乎應接不暇。」

我看無話不說。他此刻一言不發。

＊＊＊

道長：「話題太嚴肅了，給你們講個故事吧。一個病人已經垂危，這天，醫生面帶微笑地來到他那裡，說：『有一個好消息要告訴你。』病人很振奮，說：『是不是我這樣的病已經找到治療方法了？』醫生說：『不是的，你將在一個月內離開人世。』病人很洩氣，說這算是什麼好消息？醫生回答：『祝賀你的原因是我們將用你的名字來爲這種病症命名……』」

無話不說突然大笑：「哈哈！別有一天讓我這麼出名，以我的名字來命名一個什麼病了……」

道長：「我們這個世界出現的病種越來越多，絕症的範圍也在不斷擴大。我們不是說現代醫學沒有用，而是說，現代醫學有其侷限性。比如說現代醫學自己也提出了醫藥公害的問題。這個時候人們審視到的、看到的，是用另外一種方式來認知我們的身體，就像你們今天和道家結緣一樣。透過另外一個方法，比如說經由辟穀來改變你們自身，而不是透過外在的東西介入，透過吃藥或者打針。」

無話不說：「有癌症病人來這裡辟穀的嗎？」

道長：「有，很少。但是有緣來了的，都是放療、化療無效了。我們要做的是自身生命體的轉變。」

我：「這是什麼方法？是道醫的方式嗎？」

道長：「我用現代的語言方式來解釋，道醫是一種把人的資訊、能量和物質總體調和的方式，是一個身、心、靈全面調整的過程。」

無話不說：「不吃藥？」

道長：「我們不反對用藥，但是我們用另外的方式使身體狀態發生轉換。我們這兒的很多道長都是身懷絕技的，他們有很多的功夫，這些功夫實際上就是幫助你們改變生命狀態，比方說一些內練的技術。我們達到了西醫想要達到的、改變生命狀況的目的。我們的方法依靠的是把握我們生命體體內的精華物質，使我們的身體達到精滿、氣足、神旺這樣的三全境界。這是完全不一樣的治療方法，使你們達到：第一步健康，第二步把潛在的疾病消除掉，第三步有可能更加年輕、更加健壯。」

無話不說全神貫注，彷彿正在被道長說的這些詞句消融。

道長笑：「這話聽來很像現在的廣告用語，但是我在推銷的是概念，達到這個概念描述的產品，是你們每一個人自己。」

胖子：「道長，你說的達到第一步健康、第二步把潛在的疾病消除掉、第三步有可能更加年輕健壯，這三個目的，西醫一點都沒有辦法嗎？」

道長：「我說過現在西方醫學還是在分子醫學的層面上，分子醫學在物質的尺度裡是結構醫學，而我們是另外一個醫學體系，可以勉強用現代語言把它歸屬於能量醫學。西醫認識疾病，總是要在生命體中找到細菌，或者找到一個腫瘤，一個結石，認爲是它們造成了生理指數的變化，是造成疾病的『因』；但是在我們這裡，我們只是把這些看成爲『果』，由某一種原因已經造成的『結果』，而不是造成疾病眞正的『因』。比如說他——」

道長手指著堅若磐石般的無話不說：「不是說他得了糖尿病就是因爲胰島素分泌方面的問題，而是他，這個人爲什麼得了糖尿病？他周圍的朋友、和他朝夕相處的家人爲什麼沒有得？這個判斷對於我們是至關重要的。現在西醫大多查不出來疾病的雛形狀態，都要等到病理訊號超過50％之後，由量變引起了質變，已經成爲器質性的病變了，成爲癌症的中期、晚期了，現代醫學才能夠發現，診斷出來。你們上次來我也說過，癌症不是一開始就是癌症，它有一個形成的過程，是一直忽略而最後造成的。腫瘤也罷，癌症也好，以前在我們的身體裡面並沒有長成，後來爲什麼會有了呢？爲什麼會是這個樣子的？這是我們要思考、要判斷的關鍵。腫瘤、癌症這樣的類似極端病例，是我們身體病理訊號不斷積累的結果。我們的身體有兩個能量，一個叫陽，一個叫陰，我們要達到陰、陽兩種力量平衡、平泌，我們的身體才是健康的。當我爲你們檢查經絡，在檢查中我發現你們的經絡不通暢了，一旦這個能量的通道不通暢，就意味著會有疾病形成。那麼簡單的方法就是在調理中疏通它，調節能量。所以說我們不是一個對抗醫學，而更像是疏導醫學，或者是順勢醫學，或者是平衡醫學。像大禹治水，見到的水不是去堵，而是疏導。我們用的是這套理論。」

無話不說難得地沉默。我們也是。

道長：「再舉例說肺癌。為什麼人會得肺癌？先不說這個，有一個現象，不少人得了肺癌都有一個特徵，手上出現不同種類的皮膚病。我們知道手太陰肺經，肺經的疾病許多是見之於皮膚的，凡是我們的上肢皮膚有炎症，特別是女性手上有了癬，長了什麼皮膚病呀，西醫往往立刻建議用藥，不是用中藥，就是用西藥。搽了藥之後我們發現，長出來的癬似乎好了，但是過一陣子又會發出來，不是用中藥，就是用西藥。搽了藥之後我們發現，長出來的癬似乎好了，但是過一陣子又會發出來，又搽藥，漸漸地發現你用的藥沒有效果了，要換藥，而且發現藥的劑量越來越大。藥在加強的時候，其實疾病也在不斷地加強。用藥表面上能夠抑制病的症狀，實際上這個病很多是沒有在發作的時候徹底治好，反而讓它潛伏下來了。我們不斷地用藥，疾病不斷地壯大，它有抗藥性啊，而且為了躲避藥，它就被逼回到我們身體的內部。我們用藥把病症的能量壓回去，暫時得到效果，但是隔段時間還會發，因為這個病情的『根』一直在，而且還在藥的刺激下越來越強大。到了最後什麼樣的藥都試過了，皮膚也不出炎症了，是真的好了嗎？沒有可能，它直接反映、或者說躲避到肺上去了，那就是肺癌。很多肺癌原始的病因都是因為皮膚病引起的，但是大多數的人並不會這樣來聯想。」

我膽戰：「道長，你說的病像有智慧，會鬥智鬥勇，會躲避……」

道長：「這樣展開話題會很長，呵呵，太長了……還有像腳氣，有腳氣的人基本上屬於濕熱，酒喝多了的時候，體內的熱很重，腳氣就會非常旺盛。這時的腳氣實際上起到的是疏導肝熱、排泄毒素的作用，但是人們因為不了解自己身體的各種現象和功能之間的關係，把這種身體工作的現象強制性地終止了——花錢把這條重要的排泄之路堵上了。如果碰巧這個人不愛出汗，又有嚴重的便秘，這就一定要出大問題。我們要怎麼了解我們生命體——我們身體的各種作用、各種表現？」

無話不說：「玩命地相信自己，任何時候都不吃藥？」

道長：「不是，這是另一種極端。我們應該知道的是，藥的作用絕對不應該是去把什麼東西堵住，像對抗療法那樣去壓制身體的病症，而是要順勢去引導病症，把病症之氣借藥的力量排泄出去。有兩個成語分別代表了兩種不同的醫療觀點，一個是揚湯止沸，一個是釜底抽薪。」

無話不說：「是指對待生病的方法嗎？」

道長：「看見有一鍋水沸騰起來了，要制止這種沸騰，一種做法是舀起湯去澆湯，這種方法在現實生活中是可行的。因爲把湯舀起來再澆下去，舀起來的湯就會降低溫度，這是因爲湯再倒下去的時候，湯與空氣接觸面積增大，流動加快，因而使舀出來的湯蒸發加快，溫度降低，再倒回鍋裡去，使整鍋湯溫度降低，低於沸點。或者直接就往鍋裡面加冷水，沸水瞬間就暫時靜止了，這叫『揚湯止沸』。不過這都是做一些表面的功夫，被揚進去的湯很快又被沸水給同化了，再次沸騰。就像西醫治療的手法，你有症狀，西醫的方法就消滅你的症狀，是腫瘤就切除，是癌症就放療、化療，眞的就是對抗著幹。而放療和化療這種治療手段對我們的身體，無異於一顆原子彈在體內爆炸。它們爆炸的時候是根本不區別我們身體裡面好的細胞、壞的細胞的，生命體的生機被斷送了，這本身就是一個比癌症還要恐怖的事情。這種情況就是『揚湯止沸』式的治療。而那一鍋不斷被強加冷水的沸水，到最後當水再也無法加進去、鍋已經滿了的時候，就沒有辦法來解決這個問題了，開水會溢出來。也許這時候現代醫學就會告訴你，你得到了癌症。」

無話不說：「用釜底抽薪。」

道長：「另一種做法有點像釜底抽薪。要讓鍋裡的水不沸騰，把鍋底的火移掉，鍋底的火沒有了，它就再也不會沸騰了。『釜底抽薪』就是我們道家的做法，就是通則不痛，痛則不通。當經絡暢通的時候，我們是不會有疾病的；只有當經絡不暢的時候，才會孕育疾病，能量在積累，訊號又不能傳遞，於是就會變得越來越惡劣。我們用的疏導療法和平衡療法，就是當疾病還處於能量狀態的時候，就去調節生命體的狀況，用『釜底抽薪』的方法。」

胖子：「對身體，怎麼理解釜底抽薪這種做法？」

道長：「要提煉氣的存在。這是你們要非常注意的，這個氣就在你們的體內，透過一種特殊方法就能夠把氣練出來。練出這個氣之後，就是你們體內的能量。這個能量用在做正常的功，能夠幫助你們增強體能，我們把這種方式叫做『扶正而祛邪』——把正氣扶起來，就把邪氣驅逐出去了。正氣越旺盛，邪氣退得越快。你們注意到一種現象沒有？凡是用西醫治好病的人，都需要經過很長一段時間才能恢復身體，無論是感冒還是其他大的病，大病身體恢復的時間更長，因爲西藥的治療在消滅病菌的同時，也在不分好壞地破壞生命體的正氣和好的細胞。而道家的做法是扶正祛邪，把病治好的同時，身體也變得強壯了。你們看不眠夜，還有以後的你們，當我們用不同方法把你們的糖尿病治好的同時，你們沒有什麼需要恢復的，你們在病好的同時已經強壯了，因爲也只有強壯才有體力來驅病啊。如果我們現在是用西醫的方式，那就是天天打胰島素，每天都在控制這個、控制那個，你們有可能會是生龍活虎的嗎？」

33
上藥三品，神與氣精

胖子：「道醫的藥就是功法？」

道長：「不是，應該説我們所謂的藥，是包括功法在內的。用我們體內的自我調理功能，這是最好的藥。這是我翻譯過來的語言，原話是『上藥三品，神與氣精，恍恍惚惚，杳杳冥冥，存無守有，頃刻而成』……」

胖子：「這就是道家的能量醫學？」

道長：「能量醫學是我們勉強用的一個名稱，告訴我們，我們的生命體是個開放系統，我們不僅要從結構上去認識我們的生命狀態，還要超越結構去認識我們的生命實際上是一種能量的狀態。」

道長停。我們幾乎一致地以七嘴八舌的方式：「道長請說，不要停，不要太就事論事，我們都想聽的……」

道長：「中國很早就在哲學上有氣一元論，就是萬物都由氣構成，能量是所有萬物一種最基本的狀態，反映出來的氣，就構成了我們生命中最基本的東西。當我們去找這個能量的時候，我們體內就會越來越正氣旺盛，一旦正氣旺盛，就邪不干正，我們會越來越健康。我們甚至還可以透過它——我們體內的正氣，走向生命品質的昇華。這是一個高峰。」

道長再次停下。我們順著他的目光，看見無話不說的手一直握著他的手機，手機從來未響。無話不說瞬間恢復知覺：「我＃￥％＆被世界遺忘了！我攥著我的世界呢！」

道長笑：「我正要說手機和訊號的問題。我們的身體是這個世界上最好的一個儀器，能夠接收各種各樣的能量。這種能量和訊號的接收，就像我們現在的電視機一樣，我們只要選擇對這個頻道就行了。而手機，這裡大部分地方是沒有手機訊號的。你們需要靜心，盡量減少外部的干擾，我們要以一個澄淨的、開放的系統來接受更大能量的傳遞、更強訊號的加持，這些對我們都有很大的影響。所以在此期間，一定要把心靜下來，讓我們的心在感受上與我們盡量保持一致，這樣就可以達到事半功倍的效果，能夠最大限度地發揮作用。」

無話不說：「道長，我能不能夠問一下，你們要給我治療的方法，與中醫完全不一樣嗎？」

我：「就是說，道醫和中醫差別很大嗎？」

道長：「中醫用很多中藥。中醫用藥屬於間接的方式，目的也是爲了疏通經絡。我們的道醫是包括了用藥在內的一種疏通方式，直接地調整能量。中醫的中藥，一般作用是透過藥在人體內的轉換之後，調節能量。比如吃了藥、消化之後才能把這些有用的東西傳輸到身體上去，所以我說中藥是間接。而我們用能量的方式是直接調節，這是中醫和道醫的第一個差別。第二是藥有副作用，任何一種藥都是『是藥三分毒』，任何一種藥都有它的毒性，只是大小差別而已，所有用藥治病的方法都是以毒攻毒，更不用說西藥了。我再插一個對西藥的認識，現在衛生部規定了在所有的藥品說明上無一例外都必須註明有哪些成分，有可能會對你的哪些臟器造成傷害，比如有註明『肝腎功能不全的不能服用』，『孕婦忌服』等等，這是什麼意思？就是說明任何一種藥物都有毒性的副作用。我說過，我們用藥物，實際上都是用局部健康的損失，去換取另外一個部分健康的重建。我們道家是怎麼認爲的呢？道醫認爲最好的藥不是醫生開給你的藥，而是能夠調整你身體自己狀態的、你自己的藥。」

無話不說像是聽到了一件極好笑的事情：「我自己的藥是什麼？」

道長：「比如說功法，透過功法來治療是最好的。我們道家提倡能量療法，『能量』就是源於我們身體自己，是完全不同的一種態度和方式。道教經典名著《無上玉皇心印妙經》裡提出『上藥三品，神與氣精』，這是什麼意思？最好的藥是我們自己身體內的東西。這個東西是你本有的，是上藥，而不是外在的東西進入你體內，對你進行一種外力介入。任何一種外力的介入都具有破壞性。剛才說的西藥，無一例外都是對抗醫學，『治病』的方式實際上是破壞了我們身體的狀態。」

胖子：「道醫的藥就是功法？」

道長：「不是，應該說我們所謂的藥，是包括功法在內的。用我們體內的自我調理功能，這是最好的藥。這是我翻譯過來的語言，原話是『上藥三品，神與氣精，恍恍惚惚，杳杳冥冥，存無守有，頃刻而成』……」

無話不說：「那一般的藥呢？」

道長：「一般的藥當然是下品了。」

無話不說：「下品藥，道醫是不用的，對嗎？」

道長：「不是。下藥是草藥什麼的，也用，但是那畢竟是下品藥了嘛！還有中藥這個詞，這個『中藥』在道醫裡不僅是我們習慣上說的中醫的中藥，還是中等藥的意思，包括針灸、點穴、符咒，這種也不是用藥灌入你的體內，而是用物理的方式治療，調節你和啓動你。下藥呢，就是我們一般說的草本藥了。這種方式在我們要麼是用於對上藥的配合使用，要麼是屬於不得已而爲之。比方說這個人已經沒有辦法透過練功來自我調整了，也沒有辦法去施行其他的方式，那就只有用下藥了。」

胖子：「那我們平時一感冒就吃藥……」

道長：「我們的身體打噴嚏，發寒熱，出汗發燒，本身就是在調整，在排寒氣、排毒素，像我剛才說的腳氣、皮癬，都是身體的一種工作。結果西醫強力用藥制止這種現象，那麼本來要排除的東西又被逼回了體內，表面現象的好轉，實則是更加的糟糕。這樣多次、多年的積累，最後會怎樣，可想而知了。像一間從來不清理廢物、垃圾的房間，堆放十年、二十年，這間房間還會怎樣能夠想像嗎？」

無話不說陰惻惻：「是啊，辟穀就是身體徹底大掃除嘛！辟穀是上上藥了，把宇宙能量都動用了！不給我辟穀，算是對我下狠手了，用中藥和下藥對付我了事……」

道長笑：「我們調心成功了，那就用上藥；失敗了，最差的就只能用下藥了！我們道家並不忌諱中藥，因為中藥也好，中醫也好，都是道文化的體系，也都有其本身的作用，無非不屬於道家的上藥罷了。」

無話不說：「我實話和你說，道長，我兩天前就已經不吃降血糖的藥了，那個胰島素的針也不打了，我是破釜沉舟地等著你救我了。完蛋就完蛋，但是我不相信你會看著我完蛋！我當然是願意相信的，也基本上相信的，要不然我怎麼自己把藥停了呢！除非我不想活了！」

道長呵呵樂。

無話不說：「為什麼你老是覺得我的心沒有調好呢？還是辟穀這一套有可能到我這兒就不靈了呢？」

道長笑：「你從根本上就不認識你自己，對自己沒有眞正的認識。這其實不是你一個人的問題，我們最難以認識的，是對我們自我的認識。『認識自我』，這是一個巨大的認識。在我們這裡，心理的活動是很重要的，在治療的過程中不能有任何的擔憂。」

無話不說陷入沉思。不清楚是積極狀況，還是消極生氣狀況。

胖子：「道長，這個辟穀是我們道家專屬的嗎？」

道長：「從現象上看，這種不吃飯的治療方式，並不是道家的辟穀才有的。在基督教，耶穌曾經就斷過食，佛教的釋迦牟尼佛在印度時爲了悟道也斷過食。斷食的方式還有絕食。但是辟穀是完全不一樣的，辟穀和絕食最大的差別是，在辟穀期間，我們身體的新陳代謝、能量的轉換是保持繼續的，因爲身體有特殊的管道能夠獲得能量，採集能量，以使我們的新陳代謝徹底正常，而且還是更好的狀態。而在斷食期間，以及任何一種絕食期間，身體的能量來源管道沒有了，這種斷食，對身體有利的同時，對某些方面是有害處的，比如胃，比如腎臟。斷食作爲一種療法技術——你剛提到的西醫治療的手段，應該提到美國的馬凱博士。我要先轉變一下話題了，先說一下斷食……」

道長：「馬凱曾經做了一個很有名的實驗，引起了醫學界濃厚的興趣。這個實驗極其簡單，他把若干白老鼠同時誘發肺癌，再分成試驗組和對照組兩組。實驗結束後，對照組的白老鼠全部死亡了，而他的試驗組，非常非常簡單，根本就不給牠們做任何的事情或治療，只是把一週七天的餵食，變成一週兩天的餵食，就只做了這麼一個簡單的事情。試驗組的白老鼠，70％以上都存活，40％誘發肺癌的白老鼠，獲得癌症的免疫。因爲這個實驗很簡單，西方的科學家紛紛效仿去做，也獲得了同樣的結果，於是一下就引起了轟動。這就是你們剛才說的其實你們也不太了解的斷食療法。

「還有一個實驗是俄羅斯一個科學家做的，他是諾貝爾醫學獎的獲得者。他的這個實驗就進一步深化了，他把嬰兒的血漿、成年人的血漿和老年人的血漿採集成了若干組，全部培植了癌細胞，然後他發現在新生的嬰兒血漿裡，癌細胞基本上不動、不生長；而到了三十、四十歲的成年人血漿裡，癌細胞大多是瘋長，於是他得出了一個幾乎是世紀性的主題結論：癌症爲什麼能夠在人體內瘋狂地生長？就是常說的癌症的擴散？」

34
最好的排毒方法

道長：「萬病之源皆是源於毒素。我們身體裡面的毒素毒化了我們的內環境，使我們的身體發生了障礙、脫軌，使我們正常的智慧系統陷入了一種癱瘓狀態。」

道長：「大家都知道，癌細胞比正常細胞發展得更快，通常是掠奪正常細胞生存的養分來壯大自己，它甚至能夠把血管誘拐過來，靠的是吸取血液中的有毒成分。這個科學家的實驗發現了什麼呢？嬰兒的血液是很乾淨的，所以癌細胞不生長；成年人的血液因爲種種不健康的生活習慣，不像幼兒那麼純淨了，癌細胞一旦有機會就瘋狂成長。血液中的毒素越多，就越有利於癌細胞的生長。

「我們每個人身體內都有癌細胞，這很正常，並不可怕，因爲我們的身體有吞噬這種癌細胞的另外一種細胞——自然殺手細胞（Nature Killer Cell），它在我們的身體處在一種正常情況下才開始工作，而在一種特殊情況下它就不工作、不怎麼吞噬了，那就是在身體體質偏酸的時候。我爲你們檢查身體時，如果懷疑一個人得了癌症或將要得癌症，首先會發現你的體質變酸，就是說PH值超過正常的限量，血液中的帶毒量超標了。我兩個月前檢查不眠夜就是這麼一個嚴重超標的狀況。癌細胞就是在身體變異的情況下不能被克制地瘋長的，表現出來的症狀就是顯得懶洋洋的，該工作也不想工作了，這是自然殺手細胞不完全去正常工作的特徵。這就給癌細胞造成了一個空間，爲癌症提供了一個平台。體環境變了，正常的體環境裡面能捕捉、殺死癌細胞的細胞無法工作，在體質變了以後已經不利於我們體內自我免疫系統的生存，癌細胞才得以繁殖和生長。我們成長的過程中，身體毒素的積累造成了身體的病變。癌症也是這樣而來，於是呢，馬凱他們得出了一個結論、實驗出了一種方法，這個結論和方法在西方極力推廣，就是我們大家現在耳熟能詳的排毒治療。」

胖子：「現在有很多的廣告中也常常提到排毒……」

道長：「排毒現在已經不是一個陌生的辭彙。尤其是對女性而言，幾乎成了養顏的代名詞。但是大多數人不一定會去推想：萬病之源皆是源於毒素。我們身體裡面的毒素毒化了我們的內環境，使我們的身體發生了障礙、脫軌，使我們正常的智慧系統陷入了一種癱瘓狀態。」

胖子：「我聽說解剖出來的癌細胞裡面會有牙齒啊、毛髮啊……」

道長：「是，單細胞已經失去了我們的整體控制，它已經失去記憶系統了，它就只知道單一地、不斷地分裂，長的都是古裡古怪的東西。排毒在這種情況下成了目前期望健康的社會主流。那人們就會想：最好的排毒方式是什麼呢？最徹底的排毒是什麼呢？於是人們開始重新找回了以前像斷食這樣的方法。」

無話不說沉吟：「這有點像社會治安，社會如果變成一片混亂的話，土匪一定流行了！我們平時沒日沒夜的造，那就是土匪流行，是在幫著癌細胞幹活呢！」

我眼前閃現早餐和一個一個的肉包子：「我看你今天就幫土匪幹了不少活……」

道長：「確實，斷食對於身體是一個很好的方法，在斷食期間，我們的身體會獲得很好的一個生機。但是同時斷食也有一個很大的危險，從西醫的角度來說，單一的斷食就沒有了能量的管道，完全是在消耗身體。人如果一頓飯不吃就會有飢餓感，為什麼？因為我們的胃是要分泌胃酸的，胃酸是消化食物的，這種消化也是一種『燃燒』，是依靠酸來把食物腐蝕。一個長期不認真吃飯的人會得腸胃病，就是因為胃酸把腸壁和胃壁腐蝕了成為潰瘍。人如果只是斷食，胃酸作為人體生理反應會照常分泌，你不吃東西了，胃酸還是照常在產生，就像我們夜裡加班，睡眠到時候了會自動出現，人會不由自主地打瞌睡。這種情況下，胃酸就會傷害你的身體。而且多少天不吃東西對人體的腎臟也有嚴重的威脅，斷食完全可以使你的生命系統崩潰，人體需要的蛋白質不能合成，出現腎上腺素整個系統癱瘓種種問題。長時間斷食對身體是一種嚴重的傷害……」

（所以，各位讀者，長期斷食對身體是有害的，辟穀是有技術方法的，是很複雜、神祕的過程，要有道長這樣的老師幫助；還有一種修煉到一定程度的自行辟穀，那是可能的，屬於另一種狀況。少吃一點是對的，但是，萬萬不要說不吃就不吃了，知道嗎？）

道長：「而我們中國從古到今辟穀的有上百萬人，從來沒有記載，也沒有聽說一個修煉的人因爲辟穀而出現生命危機，這是現代醫學沒有辦法理解和解釋的。所以從道家的觀點來說，我們不主張斷食，因爲斷食沒有能量管道，身體會被胃酸傷害，可能導致腎衰竭。雖然可能治療一些疾病，排除一些毒素，但是這種方式是有損害的。我們的方式是傳統的辟穀，古人在幾千年前的實踐和證明……」

無話不說：「辟穀對身體就沒有一點傷害？也是什麼都不吃啊，看上去和斷食一模一樣……」

道長：「辟穀對身體沒有任何傷害，因爲我們有採集能量的管道啊，這個能量就是你、也是很多人看不見、也由此不相信的東西。」

無話不說：「你採集能量，可能我相信，但是他們（指我和胖子）又沒有修煉過，怎麼知道採集能量？也有可能他們不相信而假裝相信罷了，這樣就管用？你說的調心是不是也有這個意思？管他三七二十一，絕對相信就對了！」

無話不說的眼睛像「張飛」一般立目著，橫著走了一個來回。也彷佛懸崖道邊一把抓住了一根鐵索般，十分緊迫地抓住了一個實在……

道長：「我教他們採集能量，輸入能量，這是每一個辟穀的人都要會的，就像吃飯。」

無話不說琢磨著：「怎麼採集？採集了也得用嘴來吃吧？入口只有一個啊……」

道長：「在開始辟穀的時候——就是你們的今晚，我要用特殊咒語打開你們隱藏在身體的能量進入管道，同時透過封閉的辦法把你們的胃酸分泌整個地停下來。這樣在辟穀期間，能量就可以從另一個打開的管道直接輸入進去。我們中國人辟穀的全稱叫『服氣辟穀』，這和斷食完全不是一回事，它是我們中國人能夠理解的服了氣之後、採集了能量之後——我們吃飯不就是爲了獲得能量嗎？——的一種禁食，是完全不傷害身體的一種做法。」

無話不說：「聽說瑜伽也有這個方法？」

道長：「辟穀在我們道家是一個陰和陽的不同服食方法，稱爲陽性的吃和陰性的吃，透過開通特殊的能量管道來達成。在斷食和瑜伽這些方式中，都沒有這個管道。瑜伽裡面有很多的做法已經不是那個本意的瑜伽了。像中國的佛教，也不是原先印度的佛教了，現在的佛教也有方丈啊、住持啊，佛教有些出家人也經常拿個羅盤看風水，有的和尚還會把脈治病，也算卦看命……而這些原本屬於中國本土道文化的陰陽之學，有陰陽理論才有風水、有堪輿，是不是？還有把脈治病，這是道醫的知識和認爲。」

無話不說：「話題岔開了啊。但是這個我倒是也想說說：像拿羅盤看風水，把脈治病，還有算卦看命，難道這些不該是佛教的事情？我一直認爲出家人就是和尙，這些都是他們應該做的，無非是職業不職業的問題……」

道長：「大家都知道，佛教認爲身體是個臭皮囊，佛教講『四大皆空』，推崇不要執著，身體只是一個臭皮囊，這是它的原話啊！既然是個臭皮囊，還治什麼病呢？治好了病就是一種執著嘛！」

無話不說啞然。

道長：「事實上，佛教和瑜伽發展到了今天，早就融合進了道教的很多東西，因爲它們是在我們中國這片土地上繼續發展的，就必定會融入中國漫長歲月凝結的本土文化。」

無話不說：「也許是殊途同歸呢？瑜伽裡面有很重要的一部分就是冥想……」

道長：「你說的這個瑜伽冥想，和道教修煉的存想、心齋、坐忘等原理大致相似，只不過有層次的高低差別。不是殊途同歸，而是瑜伽發展到了今天，早就融合進了本土的很多東西。就像今天的中國佛教已經不是當年印度傳來的佛教。瑜伽、佛教的本來都不是這樣的。」

無話不說來了精神。他一直就對佛教極認眞、極感興趣：「怎樣的？」

道長：「現在全世界的中國人都認爲一點，佛教原本一定是吃素的，但這是一個很大的錯認。佛教從釋迦牟尼開始就沒有吃過素，你去看佛教的佛經，任何一本佛經裡面，釋迦牟尼去外面化緣，『爾時世尊食時著衣持缽，入舍衛大城乞食，與其城中次第乞已，還至本處……』，人家給什麼他都吃的。眞正意義上的吃齋，最早是道家提出來的，但是現在一講到吃素，大家肯定想到的是佛教。現在的佛教已經不是原始的佛教了，我們現在看到的中國佛教廟宇和印度古老佛教的廟宇都完全不一樣。而像現在很多佛教人士都參與的算命、看相、堪輿，全部都是道文化的東西。看相、堪輿、看風水，都是一個道士基本要掌握的技能。在文化的融合過程中，有些佛教徒把這個拿過去了。」

35

我辟穀給你看！

生的偉大：「中醫也罷，道醫也罷，並不是他們真的完全不管用，而是沒有普適性……科學的優勢在於有普適性！」

我說不過他。我翻來覆去一句話：我辟穀實證給你看！

胖子扭轉話題：「辟穀在道教有最早的文字紀錄嗎？還是一個師承的關係，口口相傳，師生相教？」

道長：「有文字紀錄啊，道教的經典《南華眞經》裡面提到的『藐姑射之山，有神人居焉，肌膚若冰雪，淖約若處子。不食五穀，吸風飲露，乘雲氣，御飛龍，而游乎四海之外』。吸風飲露，吸風就是採集能量，飲露就是喝水，然後不食五穀，不吃五穀雜糧，可以達到修行的一個特殊狀態。」

無話不說：「這樣癌細胞沒地兒生長……」

道長：「我想提醒一下，我們中國道家的辟穀從來不是一個醫療的技術，是現在不得已、偶爾被運用成了醫療的技術。辟穀是爲了轉化生命的能量，把生命的層次提升，轉換生命形態。但是對於一個病人，辟穀又確實是最好的治療方式。」

無話不說：「轉化生命能量什麼的這種說法都是現在才有的，我也不怕得罪你……」

道長：「我們的說法，辟穀是道教修仙的一種方式，透過採氣來獲得生命的能量，獲得『仙』的目的。我們古人早在幾千年前就知道在我們周圍、在這個宇宙中，到處充滿著能量，充滿波與波群，而不是現在才知道能量，知道波和波群的，是我們的科學發展到了現在出現了電視機、手機，我們才知道、才相信確實是這樣。」

我神思恍惚：「我們辟穀的時候眞的能夠接受到宇宙的能量？我們會有感覺嗎？」

道長：「辟穀的時候，我們的身體好像成爲了一台電視機，我們打開通道了，能夠接受資訊了。能量是很難被觀察到的，但是，沒有能量，我們是活不下去的，所以你們說能夠感覺到嗎？」

我：「是不是像沒有了空氣的時候，才能夠感覺到空氣呢……」

道長：「有類似。像我們現在周圍的空間，充滿著無始以來的各種能量，但是我們看不到這些啊，看不到的就等於沒有嗎？生命除了有物質的結構之外，還有磁場。地球有磁場，生命也有磁場，這個磁場是怎麼去影響生命體的，在中國已經有四千多年的研究歷史，西方的科學才剛剛開始研究。從道家的角度來講，我們說的人的『氣』，就是西方人說的能量，人一旦死了，沒有氣了，也就沒有能量了。西方人說他們是講實證科學的，但是他們不知道中國也是講實證科學的。西方醫學在形體結構的了解上遠遠超過了我們，但是研究磁場對生命體的作用，他們才剛剛開始。」

無話不說：「辟穀能夠戒菸嗎？」

無話不說突然問到。

道長笑：「這太小意思了……在辟穀的同時，可以產生很多我們的生命需要的附帶產品，我和你們都說過：戒菸，戒這個，戒那個，包括一切的毒癮、咖啡癮、酒癮，在辟穀的過程中自然而然就戒掉了，不會再有吸菸的欲望了。而且這個戒的過程一點都不苦惱、不麻煩，作爲順便的、附帶的，就做到了……」

輪到我嘆氣……我十多年的咖啡癮啊！喝咖啡對我來說已經不是一件美妙的事情，而是不喝咖啡，將是一件很不美妙的事情！而且每天那麼多咖啡之後，在黃昏降臨之時必然伴隨的情緒低潮，沒有出路感，沮喪感，悲觀……難以言狀，苦不堪言……

太陽移到了頭頂，樹蔭縮到了樹身下面的最小一點。上午過去了。他們已經為飯菜香所吸引，移向「動因」：餐廳。

＊＊＊

我要去山下接「生的偉大」，順便買辟穀要戴的帽子。道長說了，在辟穀的過程中重要的一件事情，是一定要戴上帽子。

「生的偉大」係浙江大學物理系畢業之人，此番專門為我們的辟穀而來。在我上次上山與此番來辟穀之間，我與生的偉大一直有電話的通告與爭論。生的偉大觀念複雜，按照現在的說法，觀念很「混搭」。他完全瞧不上科學近年來非常時尚的表現——弄出些嘩眾取寵的基因改造食品、克隆技術（基因改造技術）啊等等這些，依照生的偉大的評價，「太不穩重」；但是他堅信科學的嚴謹和發展，認為科學是人類未來光明的方向。

生的偉大因為在作為學生的最後一個階段學習和了解的是大學物理學，因此他相信事物的基本規律和原理，相信由規律和原理歸納出來的公式。所以當他聽說我要辟穀，十五天不吃東西，便發來簡訊警告：「醫學認為一般人在不吃不喝的情況下可以存活七天，從來沒有說過光喝水能夠活過十五天的。」我回覆：「陳詞濫調，已經沒有科學的探索精神……」

我和他說：「道長用二二〇伏特的電給我們看病」，他哈哈大笑，說：「魔術離開了舞台，難道就是真的了嗎？」我分解與他聽，他順便給我普及科學的常識：「也許你們用的電，電壓不是二二〇伏特的，三十六伏特以下電壓對人體不會造成危險；而十二伏特直流，也是可以用、可以收看電視節目的（此番常識的普及對我造成的直接影響是我半夜舉檯燈檢查電源，也是未果）。科學沒有說過不能透過訓練增加電阻使電流減少而不危及生命。在道長給你們做檢查的時候，在兩個人之間接一個電流錶，在道長手間接一個電阻表，結果一定還是符合電流規律的，否則這個不同的現象會比你們辟穀還要有意義……」

我轉述道家知識、經絡之說和辟穀，甚至能夠治療現代醫學無能爲力的絕症。

生的偉大：「現代醫學確實還沒有發達到可以拯救每一個病人，但是確實大部分走入醫院的人都是比原來健康地離開了醫院（我不同意也不敢反駁……復發，轉移，引發，潛伏……健康的標準怎麼定呢？）；而中醫也罷，道醫也罷，並不是他們眞的完全不管用，而是沒有普適性，他們可能確實是可以治好幾個絕症的病人，江湖上有這樣的能人，但是他們能夠像現代醫學一樣成批地治癒肺病，治癒白喉，治癒一切不斷在被攻克的難症嗎？」

生的偉大結論：「科學的優勢在於有普適性！」

我說不過他。我翻來覆去一句話：我辟穀實證給你看！

於是生的偉大要眼見爲實、親自上山來見證實證，順便隨時有可能在關鍵的時候、在科學能夠解釋的時候，把我們搶救下山！

其實生的偉大說的，從道理上都好像對，但是我說不清楚，似乎一個東西的主幹發生了微妙的偏差，其延伸的方向由此越來越不再是它出發的指向。科學就給我這樣的感覺。它的一切出發點都對，但是好像科學正變得越來越固定，越來越……

這次爲見生的偉大，我專門給這個學物理學的準備了兩句話，似乎是科學家說的：

思想是物質更美好的形式，是精神更粗俗的形式。或者——

物質不過是思想更粗俗的表現，思想不過是物質更美好的形式。

其實科學也一直在探索未來，順便否定過去。這個思想與物質之間的思辨關係與結論，交與生的偉大去思考面對了……

將近一點半，在約定的解放碑附近，接到了生的偉大。

生的偉大要求吃頓午飯再上山。「都到了火辣、噴香的重慶了，怎麼可以不吃一頓飯就離開？天理不容！」

我內心相當磨難！辟穀就要發生在當夜，我現在是不可以吃——不可以很正常地吃，但是我正常心理、正常生理，很想正常地吃！只能「當作考驗」，在附近找到了一家香噴噴的小餐廳。

爲紀念那個考驗，記錄一下：

生的偉大點了一大盆紅彤彤、著名的重慶辣子雞和非常漂亮的煎蛋蔬菜湯。

我呢，這是我辟穀之前最後的一餐飯了（晚上是蔬菜汁），道長特地交代，只能是兩根麵條，用比掌心還要小的碗。服務員非常困難地理解我的要求，用「醋碗」——總算比醋碟深了一倍，盛來了我的「一碗麵」。

道長要求細嚼慢嚥半小時以上。

36
養身還是養生？

那人：「西醫有很多養生（身？）概念，像吃維他命啊、微量元素啊、鯊魚骨啊、鈣片什麼的，這又不算治病，難道不是養生（身？）嗎？」

道長：「西醫確實提倡服用維他命、鈣片、微量元素什麼的這些東西，但是很多人都不知道，我們的身體大多不需要這些，也接受不了這些。」

回到山上已經快下午五點。

看見無話不說自己坐在小門廳裡沉思，其他人似乎都被「關」在一扇一扇閉著的小門裡面。無話不說看見我們，臉上露出一種絕望的表情。他說他沒有指望了，又和道長談了一個下午，還是不給他辟穀。

「我原來是打算死馬當活馬醫的，現在看來只能活馬當死馬醫了。」說得我們哈哈大笑。他非常嚴肅、表情冷漠地看著我們，讓我們本來發自內心的笑聲凝固成爲荒誕。

生的偉大盯著我：「居然有人哭著鬧著要絕食？」

又安慰無話不說：「沒有關係，無論你是死馬還是活馬，你都將是一匹被我永遠記住的馬！你爲什麼要絕食？」

我笑：「他是糖尿病。」

生的偉大發自肺腑：「糖尿病算什麼！你如果是一批糖尿病人，那我比你還要絕望，現在這裡只有你一個，道醫肯定能夠治好！」

我：「你這是什麼邏輯！」

生的偉大嘻嘻笑：「這是撞大運，有可能的，遇到高人了，但是絕對沒有科學的普適性……」

他下午說過的理論。

＊　＊　＊

晚飯對於我和胖子，是一場更深的磨難。

爲了見證、關注我們的辟穀，從四面八方來了不少德高望重的朋友，各懷善良的目的。中午我們與道長坐而論道的才三人，此刻坐了滿滿堂堂一大圓桌。重慶菜本來就明豔誘人，加上這麼多朋友旅途辛苦初來乍到，這重慶的第一頓夜飯……比預料中的還要正中下口，比期盼中的還要色香誘人。來的都是性情中人，絕對沒有一點面對兩個不能夠吃晚飯的人保留些心情的想法，依我看，實情是巴不得誇大眞情的用心，一張嘴居然可以既分辨咀嚼菜色，又發出嗯哈的滿足讚歎之聲，而且各不示弱，此起彼伏，不絕於耳！我抬頭即獵豔咀嚼，低頭又躲不過滿桌的豐盛，紅的辣椒，綠的蔬菜，白玉色的豆製品，醬紅色的臘肉，還有紅白相間的水煮魚……香氣撲鼻，說不讒那不是人話……

我假裝面容鎮定。畢竟我和胖子眼前還各有兩杯汁液，勉強抵擋他們的……缺乏人性的晚餐。這也可以看做是滿漂亮的兩杯算是當夜我們最後的「晚餐」了：

一杯淡綠色的是黃瓜汁，一杯粉紅色的是西瓜汁，兩只杯子是比一般啤酒杯小三分之一的小玻璃杯。

起碼我們相當淡雅。我們走在通往仙人的道上……呵呵。這兩杯汁液，道長要求我們在一個半小時內慢慢喝完。

生的偉大吃得相當淋漓盡致。他哪裡像是他說的「準備來營救我們」，他簡直是——常言道，老鼠掉進米缸了——來了他應該來的地方。每一根魚刺、每一塊雞骨頭、每一根小排骨，都體現了我對他的重新判斷。

無話不說是胃口第二好的，他完全像個正常人一樣的吃喝，不同的是眼睛裡面的憂慮沒有散去。他像吃了這頓便再沒有了下頓那樣的吃法，但也是吃得香香噴噴，盡致淋漓。

我擔憂：「道長，你不管管他啊？」

道長笑眯眯：「人都要有個覺悟的過程。他快了，快覺悟了。」

無話不說像沒有聽到一樣，橫眉冷對地看著眼前的串烤大蝦，伸手拿起兩串……

＊ ＊ ＊

道長囑人搬了幾張小茶几、十幾把椅子在草地上。今夜的小院草地，像是營火晚會了，如果有人再點一堆營火的話。

繁繁點點，夜風輕拂，半圓的月亮在天邊挪出小小、明亮的一角。快中秋節了……

幾乎所有的人都出來了，圍著小茶几而坐。茶几上擺放著大家從山下帶上來的各式水果，各種牛肉乾，各樣點心。我和胖子眼巴巴看著，我內心後悔選擇這個中秋、國慶兩個節日尾隨著的日子。

我們開頂時間定在子夜二十三點。

有人問：「道長，辟穀的時候餓了怎麼辦？」

道長：「辟穀期間是不會餓的。我們還有吃飯的功法。比較痛苦的是他們的現在，和辟穀結束復食後的頭兩天。現在是還沒有開始辟穀，他們還是和你們一樣有正常需求的人，但是食物減量了（哪裡是減量，完全是被克制了……）。在辟穀結束、恢復飲食以後，我們的功收了，他們的餓感全部出來了，而這時候又不能正常吃飯，恢復飲食之後有兩三天要慢慢地吃飯，只能吃一點點，從流質開始。那個時候才是最麻煩的時候（十多天之後我才眞正理解道長含蓄説的麻煩是什麼！呵呵，簡直丟人）……」

有人指著月光下「養生中心」的牌子：「原來是這個養生啊，一直以爲是養身呢！」

又一人：「這個養生是不是和放生有關？」

引來一片笑聲。

生的偉大笑得最響：「按你這麼說，和男生、女生也有關呢！」

有人：「這養生，是中醫的概念吧。」

道長：「不是，養生的源頭，養生這個詞，最早是從道教的典經裡面出來的。養生從來就不是養身體的身，而是生命的生。」

有人：「現在越來越多人養生……」

有人：「越養生，身體越有問題……」

「你瞎說……」「你才是……」

有人群的地方就有不同的意見和看法……最後矛頭轉而指向道長：

「道長，你說爲什麼現在人越來越多病？」

道長微笑喝茶。

爭議像野火竄動，在夜風中自己蔓延……

一人：「……西醫屬於頭痛治頭、腳痛治腳，是治標；中醫屬於治本，好歹……好歹什麼，關鍵時候一點都不好了……」

「道醫有沒有？道醫怎麼看呢？」

道長：「我們是整體地看待生命的，我們認爲人身體的心、肝、脾、肺、腎，其屬性與五行的金、木、水、火、土相聯繫。同時也對就著我們所有吃的中藥，入我們的五行。中國道藥分爲金、木、水、火、土五類，來補給我們身體的正常需求。」

一人：「身體的正常狀態應該是怎樣的呢？」

道長：「我們中國人的理解，精和氣是生命一個重要的構成部分。精就是物質的精華之意，實際上就是形體之精華，具有物質的屬性；氣就是指我們生命中的能量。精氣學說是我們中國醫學中很重要的一個學說，與整體學說、陰陽學說、五行學說這四個哲學理論體系，構成了中醫的哲學理論基礎。」

一人：「那你們對人生病的看法與西醫一定不一樣？」

道長：「同樣處理一個疾病，我們與西方人的方式和認識觀都是不一樣的。比方說一個人得了心臟病，或者是長了腫瘤，我們的方式是首先會分析他這個腫瘤，是來源於身體體內、內環境的惡化？還是能量的高度集中，量變引起質變？怎樣從無中生有。然後我們會歷史性地去看待，把一個疾病形成的前段，叫能量狀態，首先對能量進行疏導，就是治療。而一個病態的能量狀態又是和自己的綜合資訊狀態的紊亂相關聯的。人的病，與人的情緒多有聯繫。如果一個人思維不混亂，情緒穩定，身體就不出問題。而思維的問題、情緒的問題、生活節奏、生物時鐘的混亂、生活信號的混亂，種種的不正常，都會導致不同疾病。」

大家情不自禁翻檢身邊的例證，種種因爲情緒的突變導致的病情……

道長：「依照我們的經驗，凡是有胃腸疾病的人，百分之六十多家庭關係不好。家庭關係不好的這種情緒，會直接影響你的胃病；膽結石、心臟病，都和壓力以及情緒有關係。所以說，我們要知道很多的病是受情緒、心情的影響才產生的。」

沉默。

一人重挑之前的話題：「現在西醫也是講養生的……」

野火：「沒聽說過那是養生嗎？連養身都談不上，養生是東方、中國人的概念……」

那人：「西醫有很多養生（身？）概念，像吃維他命啊、微量元素啊、鯊魚骨啊、鈣片什麼的，這又不算治病，難道不是養生（身？）嗎？」

道長：「你們說了一個很重要的話題。西醫確實提倡服用維他命、鈣片、微量元素什麼的這些東西，但是很多人都不知道，我們的身體大多不需要這些，也接受不了這些。大量的吸食微量元素、礦物質，內臟會出現大問題。比如說鈣，它屬於金屬，過度服用這種金屬，我們的腎臟會不堪重負，長久以往肯定會出現嚴重腎病，不僅是腎結石，還要更嚴重。還有很多的補品，十幾種礦物質混合在這個所謂的『補品』裡面，一起補。人們太信任西醫了，對自己太沒有正確的了解和認識了。而還有人呢，利用大部分人的無知賺錢。你們去問任何一個有良心的、有基本知識的、正常的醫師，哪個醫師都會跟你們講，我們平時吃的食物中絕對不缺少鈣，而且都超標。一個西醫發現一個人病了，馬上給他檢查，發現得病的症狀是缺鈣，於是缺鈣就是病因，認爲補鈣不就解決了嗎？於是這個人馬上就要吃鈣了。我們中國人把這種大夫叫做蒙古大夫。知道蒙古大夫是什麼意思嗎？」

大家正聽得起勁……

道長：「蒙古醫學是很偉大的，以前成吉思汗的一個大將受了箭傷，從馬上摔下來，遍體鱗傷，有人就把一頭駱駝殺了，把駱駝的腹部劃開，把人塞到駱駝裡面，只留一個腦殼在外面，再把駱駝縫起來，用駱駝肚子裡面的血泡了他幾個小時，出來之後居然把箭傷治好了，摔傷也好了，這就我們中國最早以前說的蒙古大夫。蒙古大夫就是這麼治病的，很高明，也有很野蠻的意思。而我覺得現代醫學的某些現象，連我們稍顯野蠻的蒙古大夫都不如。這是現代醫學的沒落，在我看來是一種對生命極端的不負責任。」

一人：「那缺鈣是怎麼一回事？還是根本不缺鈣？」

37
缺鈣的因果

道長：「對道家來講，缺鈣顯示的是一個因，一個病因，而不是病症的果。對我們而言，考慮的不是給這個人補鈣，而是這麼一個人，他以前吃的同樣的飲食並不缺鈣，為什麼現在他就缺鈣了呢？他們一家人全都不缺鈣，為什麼就他缺鈣呢？」

道長：「對我們道家來講，缺鈣顯示的是一個因，一個病因，而不是病症的果。對我們而言，考慮的不是給這個人補鈣，而是這麼一個人，他以前吃的同樣的飲食並不缺鈣，爲什麼現在他就缺鈣了呢？他們一家人全都不缺鈣，爲什麼就他缺鈣呢？」

一人不由感歎：「確實想問題的方式都不一樣……」被止。

道長：「對一個道醫來講，面臨的不是一個人缺鈣的問題，而是什麼原因使這個人在自己生命的正常飲食中不能夠找到鈣？那麼，我們會歸結到身體攝取鈣元素的機制出了問題，於是我們要做的是改變這個機制。而西醫的診斷很直接、很武斷，讓一個缺鈣的人直接服食高鈣片。這樣也許病人的心裡感覺會稍微好一點，但是畢竟攝取鈣的機制沒有得到改善，便不可能改變缺鈣；另一方面還犧牲了另一個局部的健康來換取了這一部分的假相：這些金屬特質的東西對身體內臟的影響。」

無話不說：「有道理。那我的問題就不是補充胰島素，而是我爲什麼缺少胰島素？」

道長：「你說對了。糖尿病人是因爲胰島素分泌出現了問題，西醫就簡單到一個什麼程度呢，直接給他補充胰島素。因爲他的胰臟不能分泌胰島素了，西醫就給他補充胰島素，幫助他恢復到胰島素的正常狀態，於是他的血糖似乎就好像控制住了。我們同樣認爲這是一個極端不負責任的事情。一個很簡單的例子，一個不能正常排小便的人一旦使用了導尿管，能夠透過外在的方式導尿的時候，他的膀胱就可能再也不伸縮了。我們人體、我們身體的器官是有依賴性的，身體習慣了胰臟不分泌胰島素、依靠打針了，你的胰臟慢慢就作廢，不再工作了。」

一人：「道家會怎麼處理呢？」

無話不說一聲長嘆：「像我這樣，不處理。」

哄笑。

無話不說正色道：「不過，我上山這幾天也不打胰島素了，要麼統共一起完蛋，要麼我的胰臟還有可能重新工作，連帶我也沒事了，反正絕望和希望對半。」

道長笑：「不會絕望的，我們也不會不管。你不打胰島素是對的，我們堅決反對這樣簡單地去使用胰島素針。面對糖尿病人，我們考慮更多的是爲什麼他的胰島素分泌會紊亂？怎麼幫助他體內的循環功能正常化？怎麼排除他體內的毒素，讓他的胰臟能夠恢復正常的工作？」

一人：「而西醫慣用的那樣，每天在肚子上打一針胰島素，這個方法確實也太簡單了，所以我說西醫是頭痛醫頭的……」

另一人：「這種例子太多了，膽結石什麼的也不是就拉到手術台上去做手術……」

道長：「是啊，生命是可以這麼簡單處理的嗎？我們是有思維、有感情的啊。而且到現在，以糖尿病爲例，即使西醫堅持這樣治療，像糖尿病這樣的病症也只能有症狀控制的作用，還沒有疾病治療的效果。」

一人：「道長，你們能夠治好嗎？」

道長微笑：「你們不是來觀戰的嗎？你們可以看看十幾天後無話不說的狀況，你們自己會有結論。」

一人：「透過辟穀的話，是不是好得就更加徹底一些？」

一時刺激到無話不說的心頭痛：「我明天自己不吃東西了！但是說實話，這個想法我內心也是掙扎了好幾天，餓著抗爭不如飽著抗爭，反正結果都差不多，何必又沒有辟穀、又餓得慘兮兮，話都說不清楚？」

眾笑。

一人：「任何一個西醫知道了都會無法理解，居然敢讓一個糖尿病人放棄藥物的治療。無論辟不辟穀，絕對不可能出現危險嗎？」

道長：「不可能出現危險。這兩個醫學的思路是不一樣的。在我們看來，對待一個糖尿病人，最大的危險莫過於輕易給他口服或注射胰島素，這也許是對他生命最大的威脅，一旦他服了這個藥，就是終生服藥，而且終生服藥的結果不但治癒不了他的糖尿病，藥物巨大的副作用還可能會誘發癌症或其他疾病，這對身體有毒化作用。所以在不同的醫學觀念中，我們認為西醫的這種治療方式也許是最危險的。」

一人：「我就是覺得西醫思考問題的方向有問題……」

道長：「我們無意去評判醫學水準的誰高誰低，我們只是希望找到：我們的身體需要經過什麼樣的方式才能達到最好的狀態。因為我們生命體的功能是用進廢退的。我們為什麼現在沒有尾巴了？因為不需要它了。我們的生命機能只要有外面的力量可以替代，它馬上就懶了，緊接著就是用進廢退。你一旦依靠打胰島素針，你的身體可能完全依賴胰島素的外部供給，自己也許就永遠不產生胰島素了。」

一人：「西醫難道沒有考慮過這些問題嗎？」

道長：「思維的角度不一樣。也有可能他們是考慮過的，但是他們依然選擇了救治眼前的狀況。西醫的這種做法可以用一個哲學名詞來概括，叫『倒因爲果』，就是把生病的病因當成了結果來醫治。我們眞正的醫學應該考慮，這個人爲什麼會長膽結石？而西醫的做法越來越簡單——這方面他們在進步，以前還只是從膽中取結石，現在石頭都不取了，把整個膽給割了，全部不要了……」

大家笑。

一人：「我們現在身邊越來越多無膽英雄……」

道長：「他們不知道膽對於人體絕對有很大的作用！還有我們認爲很重要、西醫同樣認爲不重要的東西：扁桃腺。這是西醫常常在做的一件事，把扁桃腺割掉。依照西醫的邏輯，沒有扁桃腺，我們就沒有發炎了嗎？錯了，炎症還在，它不發在這裡了——這裡不是被你割了嗎？它發在其他更糟糕的部位了。這就是現代醫學的倒因爲果，將病因當作結果來醫治。一個人得膽結石是因爲體內的機能出了問題，怎麼能把『得膽結石』當成他得病的結果呢？得膽結石是他的身體一系列複雜生理原因導致的，你不把這個原因找出來，卻把他的膽割了，那明天他要得腎結石。不得腎結石，他還有可能在幽門或者其他部位出現問題，出現惡化，或者再出現其他的病症。現在醫學這種倒因爲果的治療方法，也屬於對抗療法。我們說過，對抗就像是堵水，暫時是可以被你堵住，但是水會漲啊，你越堵越高，一旦崩潰，那就叫癌症了。」

「我們沒有聽過，道長仔細講講……」今日上山的都抗議。

（諸位朋友，請允許我再讓道長說一遍了——）

道長：「我們的治療方法是疏堵結合，這種方式我們叫『扶正而驅邪』。我們用的疏導療法，也叫順勢療法。而西醫的做法是揚湯止沸，這鍋水燒開了，沸騰了，怎麼止住這個沸騰？如果說我們把這個沸騰叫做腫瘤的話，原因是因爲有火在燒著水，水就由熱，到燙，到開鍋，這是能量。把沸騰比喻做腫瘤，怎麼消除？西醫的對抗辦法是揚湯止沸，水越澆越多，就像我們的藥越用越多，量越來越大，最後一直到把鍋溢出來，徹底沒有辦法了。我們的方法是釜底抽薪，把火移開，我把下面的火撤了，這個水還會沸騰起來嗎？」

一人：「這就是道家醫學和現代醫學最大的區別吧？」

道長：「我用一種比較簡單、簡捷的方式來說明。人們總希望在這個世界上找到一種可以治癒萬種病的良藥。有沒有？從來沒有西醫敢說有。但是對我們道家來說，有。這治癒萬種病的良藥就是氣，是我們每個人身上都有的寶物。氣不是一個具體的藥，它是扶正，什麼是正？就是我們的抵抗能力。比如大冷天我們這些人穿一樣多的衣服，全部到山頂上吹風，其中絕對會有幾個人感冒，幾個人發燒，還有幾個人沒事。爲什麼同樣惡劣的外部條件，每個人的結果不一樣？我們會說『體質不一樣』。這就是說我們的抵抗能力不一樣，這個抵抗能力在道家就叫正氣。你正氣足，抗病能力就強。一個人得了非典型肺炎，全家人都跟他有接觸，但還是有幾個人得，另幾個人不得，這是因爲抗病能力不一樣。身體的自我免疫能力越強，疾病就越少。不管哪種病，只要自我免疫能力強，都能克制；不管得了什麼病，只要身體抗體很強，你都能夠治癒，這就叫『扶正而袪邪』。增強自我的免疫能力，就是一個可以抵禦萬種病的良藥。我們道教養生修行的主要作用，就是提高我們的免疫能力。所以西醫是圍繞疾病的症狀在說話，我們道醫是圍繞身體的免疫系統在說話。症狀科目無限細分的西醫絕不可能出現包治百病的良藥，而固本培元激發潛能的道醫確有萬病有效的靈丹。」

＊＊＊

我思忖，道長這番話算不算回應了生的偉大下午說的「科學的優勢在於它有普適性」？其實說到普適性，不同文化（或者知識）表現的程度、階段不盡相同罷了。依我看，防患於未然的沉穩妥當，遠勝於亡羊補牢的匆忙與焦慮……

38

眞的要辟穀了！

道長：「……在辟穀期間嚴格地按照這些去做，認真練功，因為你們的食物攝取管道全部都封閉，停止工作了，你們的生命就要依靠你們的功，從宇宙攝取日月精華，還有我們給你們的幫助，你們未來的十五天將依此而生。」

月光寧靜……

無話不說：「這就行了？萬事都行了？」

道長：「如果你這樣做了，當然行。但是，今天我們面臨的挑戰是：人們認識不到這點，已經得病的怎麼辦？現在最可怕的病是什麼？」

尋思。

一人：「愛滋病吧。」

道長：「人類目前的疑難病症包括癌症、糖尿病、高血壓、心腦血管疾病……好，愛滋病起碼可以算是最可怕的病症之一。愛滋病爲什麼很難治？因爲愛滋病有智慧，我們去治療的時候，它會馬上變異，比如你剛剛用了一種新藥去針對它，它馬上會很好，產生70％、80％的治療作用，但是過一段時間它馬上變了，你剛剛發現它的破綻它又變，這個藥便不起作用。愛滋病是免疫系統的疾病，依照我們中國傳統道家醫療的方法，它的核心同樣是扶正祛邪，就是以一系列的方法來改善我們的免疫系統。其實，病都是不可怕的，可怕的是我們的認識。」

我看手機——手機在山上只能夠當錶用了。手機顯示22：05，距離開頂還不到一個小時了……我內心湧動了一下，說不清是因期待而生的略有焦慮，還是因這一刻的分分臨近而不由自主的擔憂、尚存一息的猶豫……

生的偉大曾經問我，「爲什麼要開頂？」我比較認眞思考，說：「開頂大概是……如果不開頂，我怎麼吸取宇宙的能量呢？」回答得煞有介事地顯得內行。生的偉大又問：「怎麼開頂呢？」我尚未經歷完全不知，便與生的偉大胡說：「錘子榔頭唄……道長有功夫，力道有分寸，挺牛的……」生的偉大內心是個認眞老實人，當即目瞪口呆。我欣賞之餘，內心埋下疑慮：道長怎麼給我們開頂？他說過用咒語、憑咒語能夠開頂？把腦袋怎樣？不怎樣的話怎麼叫開頂？眞的有咒語？這一系列釣魚一般可以牽扯起一串的疑問，一直讓我且盼望、且困惑、且擔憂……我又看錶：22：07……時光即將帶來什麼？又要留住什麼？證明什麼？我們將經歷什麼……

胖子似不是今夜要一同開頂辟穀的人：

「……道長，對於治病的這些認識背後，有沒有包含你一直和我們說的『我是誰』？我們從哪裡來？我們因何而生？」

一人：「還有更現實的：我們怎麼樣才能活得更好？怎樣我們才能更健康、更長壽？」

道長：「這些問題在四千七百年前已經有了完整的回答。以軒轅黃帝爲例，軒轅黃帝出生在巫術崇拜的時代。巫文化事實上是一個不可小視的文化現象，只不過相對比軒轅黃帝創造的華夏文明，它還是要淺很多。華夏文明的奠基，是以道文化思想爲集中反映的一個文明體系，這就是中華文明。這個文明體系是迄今爲止全世界唯一沒有斷代的文明。在巫文化結束之後，軒轅黃帝創造了中華文明，在那個時代已經把你剛才問的那幾個哲學的命題回答了。

「『我們從哪裡來？我們因何而生？我們又要到哪裡去？』人類至今始終在關注的這些疑問，這一直是我們道教的基本教育。這個話題十分漫長，要說到我們生命的聚合，要說到因緣，說到我們生命多層的、三十六個表現層次等等……這個道文化理論體系最輝煌的時候是在周朝。」

胖子：「爲什麼起源這麼早、又是無處不在的道，又是中國唯一的本土宗教，在今天卻並不十分興旺？感覺上還弱於佛教呢？」

道長微笑：「這個問題常常被人提到。回答這個問題需要反觀中國的幾千年歷史。道教文化在中國的發展是一個大的體系，理法術三才具備。如果說用一個字來代表幾千年中國的文化，這個字就是『道』。諸子百家是中國文化最燦爛的時代，我們只要翻開諸子百家的每一部書，一定都能夠看到這個字——道，不管是墨家、法家、名家、雜家、農家、縱橫家、陰陽家，還有我們的儒家、道家，所有的每一個『諸子』裡面，我們不但能夠看得到、而且不斷重複地看到這個『道』字。所以百家爭鳴局面，實則爲百家闡道。從我們中國文化的三大支柱——儒、釋、道來看，儒家的『朝聞道，夕死可矣』、『道也者，不可須臾離也，可離非道』，採用的是道家的思想。佛家思想是外來的，他們的修煉次第苦、集、滅、道，『反聞聞自性，性成無上道』，也是表現道的主題。道家就不用多說了，以道名教。我們常說『知道，不知道』，說明到現在，還是所有的人都離不開這個『道』字，道德，道路，講不講道理，這些話都是道教『道』的化身。魯迅說過，『中國根底全在道教，以此讀史，許多問題可以迎刃而解』，要了解中國文化一定是從道教開始入手。如果我們眞的了解道教文化，我們對中國的整個文化全部都會融通，就不會認爲我們與道疏遠了。事實上，我們從來都沒有離開過道，『道』從來也沒有不興旺過。中國的道文化一直貫穿著中國社會發展的整個過程，我們都是在『道』的文化影響之下。但是道文化落實在具體的體制上，那就不一樣了，中國古代不是有『君子不器』的說法嗎？我們說『形而上謂之道，形而下謂之器』，到了『形而下』落實到了一個具體的器物時，就可以把它作爲一個器——一個工具來用。『欲善其事必利其器』對不對，一旦把很形而上的道思想變成了一個體制，那麼它就會成爲一個工具。」

道長停止下來，全然不顧我們「聽」到半途中的期待和遺憾。他不說了，看了一眼已經悄悄爬上來的月亮：

「今天好像來不及講清楚，快到子夜了，我去準備一下，你們二位十點四十到三樓最東邊的那間房間來找我。」

道長起身離開時，四下一片寂靜。我感覺到小心臟開始加速……

＊　＊　＊

十分鐘後，我和胖子起身離開草地。眾人一片祝福聲。

走進門廳的時候，胖子說：「晚上我測了一下血壓，高壓一百三十，低壓一百。我們也應該量一下體重，對比一下辟穀的變化。」

上山開始，一直解決不了高血壓問題的胖子，已經不吃降血壓的藥了。我提醒過他，這好像是「萬萬不行」的，人人都知道，高血壓藥一旦開始入口，停止下來會有極大危險……胖子也猶豫，但還是停止了，「要試就眞試，一邊還不放心、還吃著藥，就沒勁了。」

我不是這意思……我是，可能是慣性吧，聽著有理的，順耳的，未必在做的時候就能夠有意識地擺脫長期的慣性和生活、思維、認識的習慣……

我們分別站到玻璃門邊的電子秤上。胖子，九十三公斤；我，五十六公斤。

從三樓的西邊走到三樓的最東邊，要經過一個大約十平方公尺的露台天井。

山體黑黢黢地直豎在露台後面，幾乎伸手可及。將近子夜，我推開潮手的木門，將要穿梭而過，這黑黢黢的山，顯得更加黑黢得龐大而神祕。多少人，多少事，在它巋然不動的沉默之中經歷而過，今天，它又要「眼見」我們經歷什麼？它有什麼要提醒的嗎？

山體沉默。不由得我想入非非。隨後有冷顫從腳心爬升而起。

在推開東邊木門的時候，我感覺到了手心汗漬漬的冰涼。一切都會順利嗎？我眞的要這麼做嗎？我眞的相信嗎？我是先鋒還是先驅？是文化的古老還是……的蠱惑？即便道長說還沒有過失敗的先例，但是，沒有失敗就意味著我們一定也成功嗎？國外的那些極端宗教行爲是不是也是這麼開始的？將會怎樣結束？

心如潮水……自己眼裡演盡過往小小的人生，知識的責問，和有可能看不到的未來種種……我膽子小……無奈我好奇心大。總是心決定膽的命運，所以我的腳步雖慢，卻始終沒有慢到停止下來……

這邊東門之後，掩藏一小段暗暗的走廊。這是第二次上山了，我還從來沒有來過這裡。走廊兩邊依然還是關著門的房間，盡頭是一個雙扇門，門沒有關緊，在黑暗中滑出明亮溫暖的燈光。

來不及了！竟然是我心裡一聲悲觀的暗歎打住了我所有仍然在滋滋發生的猶豫和退後心，讓我在這道滑將出來的溫暖燈光前死心塌地：就這了！

像一間辦公室。燈光溫暖明亮，房間裡面卻沒有人。幾張椅子、沙發，圍放在桌子旁邊。我目光游移，以為道長會隱遁在半空中，然後顯像，出神入化，給我們辟穀……

卻聽見微弱動靜，然後才看到在房間右側牆邊，還有一扇棗紅色的門緊閉著。稍一會兒，門開了，「隱遁」的道長走出來。

他說不出哪兒有了一些變化。好像變得「透明」了，輕盈了？說不上來。

「過來，請坐。」道長依然微笑言語，但是他開口說話的聲音不像剛才在草地上那麼響亮了，略微的有些喑啞。

道長坐到我們對面，將手中的一頁紙交給我們：

「這是辟穀的一些規則，和必須要修煉的兩套功法，你們先看。」

我低頭看。和我平時看到的漢字一樣，組成的片語也是平常意思。但是……

道長正看著我們：「……」

像是語言從他的眼睛裡面涓涓而出。他輕聲說著，輕聲強調意念與功法的配合。這一刻，我的心溜邊了十億分之一秒：自古以來億萬年雷同與一夜的今夜，寂靜無聲。夜色無聲，風無聲，月光無聲。一些傳誦了千萬年的功、訣、意念要義，正緩緩輸送入耳，輸送入心。我像一只巨大的耳朵，而這只耳朵之後，只有一顆沉沉搏動的心……

道長：「……在辟穀期間嚴格地按照這些去做，認真練功，因為你們的食物攝取管道全部都封閉，停止工作了，你們的生命就要依靠你們的功，從宇宙攝取日月精華，還有我們給你們的幫助，你們未來的十五天將依此而生。」

月光寧靜……

道長：「還有一個約定，自古以來所有的功法都是由師父傳授的，所以哪怕是你們最親近的人，你們也不能就你們的具體做法去描述、去傳說。如果你們同意了，我們就開始，但是一旦承諾就要信守諾言。」道長沉吟了一下：「另外從技術的角度來講，描述和傳說總是會有出入和誤差，如果緣分有了，由一個人來講，這種誤差就會小。」

我們慎重點頭，允諾。

道長交給我們第二張紙。是一張白紙。

39
開 頂

不可思議！在我頭頂正中，一個拇指般大小，深約三毫米的小坑凹陷在那裡。這就是「開頂」了，經過我們共同的咒語和道長的功力，「硬是」——實際上我沒有任何的感覺——使我的頭頂骨自行裂開，出現了如此明確的一個「小坑」。

正當我和胖子不知何意，道長已經開始在紙上畫開了。是一個圖，有點像變了形的太極圖，這次上面標的，是我基本上不認識的漢字。

圖上一共有六個字。

道長在另一張白紙上畫上了一模一樣的一個，然後像回到了小時候的識字班，耐心教給我們每個字的發音。要記住這幾個字的發音還眞不是件簡單的事情。我們念念有詞，反反覆覆……

道長沉默著聽了一會兒，糾正了幾個：

「要念正確。這些字的發音，是一種咒語。我們一會兒要一起念，依靠這些咒語的發音和我的功力，打開你們的中脈。一定要記住它們的發音，咒語靠的就是特殊字的音、對人體或者其他什麼產生作用。再把這張圖背下來，尤其是這些文字標明的位置，分別代表了你們身體的重要部位。發音和位置要對準，你們一會兒在發這個音的時候，意念要準確地想到它所代表的身體部位，一定不要錯位了。這個千萬千萬要記住。你們熟記一下，十一點我們開始。」

我們緊張埋首於圖、奇特文字的瞬間，道長又「隱遁」了。

我們顧不上相互詢問一下感受，或者疑問什麼——已經沒有什麼可以疑問、沒有時間可以疑問的了。像衛星進入了發射之前的倒數計時，無論有可能會發生什麼，都進入倒數計時了，必須發射了。

我們低頭趴在這一張畫有圖、咒的紙上，一遍一遍地熟記、默誦，各自念念有詞，不敢怠慢輕視。我緊張得好像大腦永遠也記不住這些了。

幾分鐘後，道長開門出來。十一點了。

我感覺到手心滋滋地冒汗，記了半天的咒語和圖位好像瞬間又消失了……

「你們誰先來？」

胖子大大咧咧：「我記住了，我先來吧。」

比寂靜更寂靜的寂靜……我彷彿被凝固在這個子夜裡面了。我不知道他們在屋子裡面幹什麼，進入了什麼狀況，種種猜測讓我坐立不安。

突然裡屋傳出震耳的念咒聲，像火車啓動，由「隆隆」的沉緩，漸漸加快，一直到「呼嘯」。聲音戛然而止。

又過了大約十分鐘，胖子驚異而笑容滿面地出來了。他笑嘻嘻地看著我，滿臉是欲說還休的神祕。幾分鐘後，道長出現在他的身後，臉上略有疲憊。

道長：「好了，你可以進來了。」

裡屋同樣是一間辦公室模樣的房間，燈光更暗，也顯得更柔和些。一張辦公桌、椅子和沙發。

道長已經將一把椅子面牆而置，示意我坐下。他站立在我後面，我感覺到他開始運氣。很神奇啊，也不知道是不是心理作用，我感覺到我的一顆心，迅速地向身體很深很深的幽暗處沉落而去……

十分鐘後，我也開頂結束。

道長示意我可以觸摸一下頭頂，我伸手向頭頂——

不可思議！在我頭頂正中，一個拇指般大小，深約三毫米的小坑凹陷在那裡。這就是「開頂」了，經過我們共同的咒語和道長的功力，「硬是」——實際上我沒有任何的感覺——使我的頭頂骨自行裂開，出現了如此明確的一個「小坑」。我覺得我的手都軟了，只隔了一層肉皮，這就是道長說的「打開了中脈」，從此，這十五天，我的身體將透過道長剛剛交給我們的功法，「吸風飲露」，受宇宙日月精華的滋潤，由這個從來沒有開啓過的管道，滋養我的生命。

我呆愣愣地坐在那兒，直至道長微笑提醒我：「這個地方不要經常去觸摸，因爲裡面就是大腦了，手上的氣、濕度，都不要侵擾它。這也是辟穀期間需要時刻戴帽子的原因。有霧、有雨的日子，帽子裡面還應該戴上浴帽……」

我機械地放下手。確實是一個難以用理性、難以用「科學」去理解的過程。道長面容疲憊地微笑看著我：

「無量壽福。恭喜你。」

＊＊＊

胖子還等在外屋。道長讓我們再等一會兒，他需要幾分鐘調整一下。此刻，我和胖子才有時間、有精力好奇交談。

胖子：「怎麼樣？神奇吧？摸到頭頂的坑了嗎？」

我點頭：「除此以外，什麼感覺也沒有……道長說，這個頭頂的小坑要盡量少去觸摸，手上有潮氣，明天開始要戴帽子……」

胖子：「是，這個小坑就是中脈的通道了，也是百會穴。」

我：「我再摸一下……」

胖子也迅速將自已的手指插入頭髮：「太奇妙了……」

道長出來了，顯得非常疲憊，似乎蒼老了若干歲。

道長一定是看出我們的驚疑了：「開頂是消耗很大的，有點疲憊。剛才教給你們的功，記住了嗎？你們做一遍我看看，今天晚上睡覺前就應該開始練功了。明天早上也要記得，一定不要忘了練功，也一定不要偷工減料。還有，每天用冷水洗澡。一定要是冷水……」

我不由自主縮了一下。這個季節，也許重慶還是火燙燙的，但是在山上，挺涼的了，冷水啊……

道長：「不用擔心。辟穀時的狀態與平時是不一樣的，你們不會感覺到像平時那樣冷的。一定要用冷水，明天再和你們講原因。你們練一下功我看看。」

這幾套功非常容易理解，也是簡單動作的不停重複。表現的動作，發出的聲音……我們當即練習給道長看。他指點一番，收了事先教給我們的那幾張紙：

「要珍惜這個修煉過程。平心靜氣，不可情緒波動，最不可生氣。你們回去練功，我也要練功了。」

過了子夜，山上已經有濕潤的霧氣。我和胖子回房間各自戴了帽子出來。草地上的人們都坐著，他們還在等著我們，一定是想看看「開頂」之後的我們和之前有什麼變化。

我受心理因素驅使，腳步輕盈得似在飄飛，一派不食人間煙火的神仙作風！眞的不食人間煙火了……

＊＊＊

大家呵呵笑：「仙人了，走路都不一樣了……」

然後七嘴八舌，盡問著我們不能夠回答的問題。

在所有好奇與期待的表情中，只有無話不說完全的與眾不同。平時說話最直接的無話不說，像是被澆鑄住了，面對夜空一言不發。

生的偉大目光炯炯：「唯一的不同是一人多了一頂帽子！」

大家又熱鬧著表示要掀開帽子看看。我這邊還在扭捏作態，顯得越加神祕的樣子，那邊胖子已經相當不配合地揭帽顯擺，讓諸多根手指頭去觸摸他腦袋上那個奇妙的小坑……

眾人表情依次僵硬，獵奇的欣喜轉變爲敬默。

生的偉大：「這算是和科學的ＰＫ終於開始了？早知道不是用榔頭和錘子開頂，我也和你們一起辟穀！」

無話不說聽聞解除澆鑄狀：「你想得美！你也想辟穀？我也不是沒有辟成嗎？」

無話不說緩慢起身，率先拉開椅子準備結束當夜：

「從此，人分三等，我就是這二等的了。你，基本屬於三等公民了。因爲你連糖尿病都沒得，連個得病的緣分都還沒有……」

大家說笑著，紛紛回各自的房間了。

＊　＊　＊

夜深了。星空遼闊，山下農舍的狗，間或發出嗡嗡的叫聲。夜風依稀，歲月如舊。天地之間還是山川流水人間煙火。但是，有一些我從來不知道的事情，在我身上開始發生……

＊　＊　＊

辟穀期間到底會發生什麼事？人是如何在十五天內不吃東西？道醫眞的可以治療一切疾病嗎？精彩待續！故事將眞正的開始了……

衆生系列　JP0082

世上是不是有神仙：生命與疾病的眞相

作　　者／樊馨蔓
副 主 編／劉芸蓁
行　　銷／顏宏紋、李君宜

總 編 輯／張嘉芳
出　　版／橡樹林文化
城邦文化事業股份有限公司
台北市民生東路二段141號5樓
電話：(02)25007696　傳眞：(02)25001951
發　　行／英屬蓋曼群島家庭傳媒股份有限公司城邦分公司
台北市民生東路二段141號2樓
書虫客服服務專線：(02)25007718；(02)25007719
24小時傳眞專線：(02)25001990；(02)25001991
服務時間：週一至週五上午09:30～12:00；下午1:30～17:00
劃撥帳號：19863813；戶名：書虫股份有限公司
讀者服務信箱：service@readingclub.com.tw
城邦讀書花園網址：www.cite.com.tw
香港發行所／城邦（香港）出版集團有限公司
香港灣仔駱克道193號東超商業中心1樓
電話：(852)25086231　傳眞：(852)25789337
E-mail：hkcite@biznetvigator.com
馬新發行所／城邦（馬新）出版集團
Cite (M) Sdn Bhd
41, Jalan Radin Anum, Bandar Baru Sri Petaling,
57000 Kuala Lumpur, Malaysia.
Tel: (603) 90578822
Fax:(603) 90576622
email:cite@cite.com.my

版面構成／歐陽碧智
封面設計／周家瑤
印　　刷／韋懋實業有限公司

初版一刷／2014年2月
ISBN／978-986-6409-70-7
定價／300元

城邦讀書花園
www.cite.com.tw

國家圖書館出版品預行編目（CIP）資料

世上是不是有神仙：生命與疾病的真相／樊馨蔓著. -- 初版. -- 臺北市：橡樹林文化，城邦文化出版：家庭傳媒城邦分公司發行，2014.02
面；　公分. --（衆生系列；JP0082）
ISBN 978-986-6409-70-7（平裝）

1.中醫　2.養生　3.道家

413.21　　102026654

廣 告 回 函
北區郵政管理局登記證
北 台 字 第 10158 號
郵資已付 免貼郵票

104 台北市中山區民生東路二段 141 號 5 樓

城邦文化事業股份有限公司
橡樹林出版事業部 收

請沿虛線剪下對折裝訂寄回，謝謝！

|橡|樹|林|

書名：世上是不是有神仙：生命與疾病的真相 書號：JP0082

橡樹林文化

讀者回函卡

感謝您對橡樹林出版社之支持，請將您的建議提供給我們參考與改進；請別忘了給我們一些鼓勵，我們會更加努力，出版好書與您結緣。

姓名：＿＿＿＿＿＿＿＿＿＿ □女 □男 生日：西元＿＿＿＿＿年

Email：＿＿＿＿＿＿＿＿＿＿＿＿＿＿＿＿＿＿＿＿

● 您從何處知道此書？

□書店 □書訊 □書評 □報紙 □廣播 □網路 □廣告 DM □親友介紹

□橡樹林電子報 □其他＿＿＿＿＿＿＿＿

● 您以何種方式購買本書？

□誠品書店 □誠品網路書店 □金石堂書店 □金石堂網路書店

□博客來網路書店 □其他＿＿＿＿＿＿＿＿

● 您希望我們未來出版哪一種主題的書？（可複選）

□佛法生活應用 □教理 □實修法門介紹 □大師開示 □大師傳記

□佛教圖解百科 □其他＿＿＿＿＿＿＿＿

● 您對本書的建議：

＿＿＿＿＿＿＿＿＿＿＿＿＿＿＿＿＿＿＿＿

＿＿＿＿＿＿＿＿＿＿＿＿＿＿＿＿＿＿＿＿

＿＿＿＿＿＿＿＿＿＿＿＿＿＿＿＿＿＿＿＿

＿＿＿＿＿＿＿＿＿＿＿＿＿＿＿＿＿＿＿＿

＿＿＿＿＿＿＿＿＿＿＿＿＿＿＿＿＿＿＿＿

我已經完全瞭解左述內容，並同意本人資料依上述範圍內使用。

＿＿＿＿＿＿＿＿＿＿＿＿（簽名）

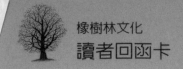